O PODER DA
RESILIÊNCIA

O PODER DA RESILIÊNCIA

PRINCÍPIOS DA NEUROCIÊNCIA PARA DESENVOLVER UMA FONTE DE **CALMA, FORÇA E FELICIDADE** EM SUA VIDA

RICK HANSON, Ph.D.
E FORREST HANSON

SEXTANTE

Aviso: Este livro foi escrito para oferecer informações confiáveis em relação ao assunto tratado, mas não substitui a orientação de um profissional. Caso sinta necessidade de buscar ajuda especializada, procure o atendimento de um profissional habilitado.

Título original: *Resilient*

Copyright © 2018 por Rick Hanson e Forrest Hanson
Copyright da tradução © 2019 por GMT Editores Ltda.

Esta edição foi publicada mediante acordo com a Harmony Books, um selo da Crown Publishing Group, subdivisão da Penguin Random House LLC.

Todos os direitos reservados. Nenhuma parte deste livro pode ser utilizada ou reproduzida sob quaisquer meios existentes sem autorização por escrito dos editores.

tradução: Beatriz Medina
preparo de originais: Olga de Mello
revisão: Sheila Louzada e Rafaella Lemos
diagramação: Valéria Teixeira
capa: Sarah Horgan
adaptação capa: Gustavo Cardozo
imagem de capa: Shutterstock/ Park Ji Sun
impressão e acabamento: Cromosete Gráfica e Editora Ltda.

CIP-BRASIL. CATALOGAÇÃO NA PUBLICAÇÃO
SINDICATO NACIONAL DOS EDITORES DE LIVROS, RJ

H222p Hanson, Rick
O poder da resiliência / Rick Hanson, Forrest Hanson; tradução de Beatriz Medina. Rio de Janeiro: Sextante, 2019.
256 p.; 16 x 23 cm.

Tradução de: Resilient
ISBN 978-85-431-0777-6

1. Resiliência (Traço da personalidade). 2. Neuropsicologia. 3. Felicidade. 4. Corpo e mente. I. Hanson, Forrest. II. Medina, Beatriz. III. Título.

19-57392
CDD 155.24
CDU 159.923

Todos os direitos reservados, no Brasil, por
GMT Editores Ltda.
Rua Voluntários da Pátria, 45 – Gr. 1.404 – Botafogo
22270-000 – Rio de Janeiro – RJ
Tel.: (21) 2538-4100 – Fax: (21) 2286-9244
E-mail: atendimento@sextante.com.br
www.sextante.com.br

A nossos pais

SUMÁRIO

Introdução   9

PRIMEIRA PARTE RECONHECER

CAPÍTULO 1 Compaixão   17
CAPÍTULO 2 Atenção plena   29
CAPÍTULO 3 Aprendizado   55

SEGUNDA PARTE BUSCAR RECURSOS

CAPÍTULO 4 Garra   79
CAPÍTULO 5 Gratidão   95
CAPÍTULO 6 Confiança   109

TERCEIRA PARTE GERENCIAR

CAPÍTULO 7 Calma   129
CAPÍTULO 8 Motivação   151
CAPÍTULO 9 Intimidade   169

QUARTA PARTE RELACIONAR-SE

CAPÍTULO 10 Coragem   189
CAPÍTULO 11 Aspiração   211
CAPÍTULO 12 Generosidade   227

Outros recursos   243
Agradecimentos   255

INTRODUÇÃO

Comecei a me envolver no Movimento do Potencial Humano na década de 1970 e me tornei psicólogo clínico, com um profundo interesse pela neurociência e uma formação em atenção plena ao longo do caminho. Este livro resume o que aprendi sobre como ajudar as pessoas a se curar do passado, lidar com o presente e construir um futuro melhor.

Há uma ideia fundamental na psicologia e na medicina de que o caminho que nossa vida toma depende apenas de três fatores: como lidamos com os desafios, como protegemos nossas vulnerabilidades e como aumentamos nossos recursos. Essas causas se localizam em três cenários: o mundo, o corpo e a mente. Ao combinar as causas e os locais, temos nove maneiras de tornar nossa vida melhor.

Todas as combinações são importantes, mas "cultivar recursos mentais" tem um poder singular. É o que nos oferece maiores oportunidades, já que, em geral, temos mais domínio sobre a mente do que sobre o corpo ou o mundo. Também é o que tem o maior impacto, porque a mente nos acompanha a todo lugar. Nem sempre se pode contar com o mundo, com os outros ou com o próprio corpo, mas você sem dúvida pode contar com as duradouras potencialidades interiores presentes em seu sistema nervoso. E este livro fala sobre como cultivá-las.

Determinação, amor-próprio e bondade são recursos mentais que nos tornam *resilientes* – capazes de lidar com a adversidade e abrir caminho superando os desafios em busca de oportunidades. Embora seja de fundamental importância em nossa recuperação depois de perdas e traumas, a resiliência oferece muito mais do que isso. A verdadeira resiliência promove bem-estar e uma sensação intrínseca de felicidade, amor e paz. Quando internalizamos experiências agradáveis, desenvolvemos potencialidades interiores que, por sua vez, nos tornam mais resilientes. Ou seja: bem-estar e resiliência estimulam um ao outro, num círculo virtuoso.

O segredo é saber transformar experiências passageiras em recursos interiores duradouros inscritos no cérebro. Essa é a essência da *neuroplasticidade positiva*, que você vai aprender a usar para desenvolver o bem-estar resiliente.

MUDANDO O CÉREBRO

Aprimorar a mente significa aprimorar o cérebro, que se remodela continuamente à medida que aprendemos com as experiências. Quando estimulado repetidamente, seus "circuitos" se fortalecem. Aprendemos a ser mais calmos ou compassivos da mesma maneira que aprendemos qualquer outra coisa: com a prática.

Desenvolvemos recursos mentais em dois estágios. Primeiro precisamos vivenciar o que queremos cultivar – como gratidão, amor ou autoconfiança. Em seguida temos que converter essa experiência passageira numa mudança duradoura no sistema nervoso. Senão não há cura, crescimento nem aprendizado. Ter apenas experiências úteis e agradáveis não basta. Essa é a principal falha de boa parte da psicologia positiva, do treinamento de recursos humanos, do *coaching* e da psicoterapia. A maioria das experiências de bem-estar se perde rapidamente, mas, com um pequeno esforço, você pode fazer com que elas deixem marcas duradouras no cérebro. E vou lhe ensinar muitas formas fáceis e eficazes de fazer isso.

Pode parecer complicado, mas na verdade é simples e intuitivo. Os neurônios costumam disparar impulsos de cinco a cinquenta vezes por segundo. Isso significa que o cérebro funciona de tal maneira que você tem várias oportunidades diárias para cultivar a resiliência e o bem-estar usando apenas um minuto – ou até um pouco menos – de cada vez. Não é uma solução rápida; é preciso exercitar o cérebro do mesmo modo que se exercita um músculo, empreendendo pequenos esforços que se acumulam com o tempo. E você pode confiar nos resultados porque terá feito por merecê-los.

PERCORRENDO O CAMINHO

É clichê, mas não deixa de ser uma verdade: a vida é uma jornada. Precisamos de ferramentas e suprimentos para trilhar este imenso caminho, e nestas páginas eu lhe apresentarei os melhores que conheço. Veremos como cultivar e usar essas potencialidades interiores para satisfazer as suas necessidades – e então você terá ainda mais a oferecer aos outros.

Todos temos necessidades. Quando elas não são satisfeitas, é natural que nosso bem-estar diminua e experimentemos estresse, preocupação, frustração e mágoa. À medida que nos tornamos mais resilientes, passamos a ter uma capacidade maior de satisfazer às nossas necessidades diante dos desafios da vida – e o resultado disso é um bem-estar maior.

Todo ser humano tem três necessidades básicas – *segurança*, *satisfação* e *conexão* – cujas raízes estão na longa história de nossa evolução. Embora as circunstâncias tenham mudado enormemente nos últimos 200 mil anos, nosso cérebro continua praticamente o mesmo. Ainda está presente nele a mesma estrutura neurológica que permitia a nossos ancestrais atenderem a sua necessidade de segurança procurando abrigo, a de satisfação arranjando alimento e a de conexão criando laços com os outros.

Basicamente, satisfazemos nossas necessidades de quatro maneiras: *reconhecendo* o que é realidade, *encontrando recursos*, *gerenciando* pensamentos, sentimentos e ações e *nos relacionando* habilmente com os outros e com o mundo. Quando combinamos nossas três necessidades a essas quatro formas de satisfazê-las, encontramos as doze potencialidades interiores principais, que estão detalhadas nos capítulos deste livro.

	RECONHECER	BUSCAR RECURSOS	GERENCIAR	RELACIONAR-SE
Segurança	Compaixão	Garra	Calma	Coragem
Satisfação	Atenção plena	Gratidão	Motivação	Aspiração
Conexão	Aprendizado	Confiança	Intimidade	Generosidade

É possível desenvolver esses recursos psicológicos passo a passo, percorrendo um caminho. Ele começa com a compaixão – a princípio por nós mesmos, pois reconhecer nossas necessidades profundas e ter vontade de fazer algo para satisfazê-las é o primeiro passo necessário – e termina com a generosidade, pois cultivar o bem dentro de nós permite oferecer mais e mais aos outros.

À medida que desenvolver essas potencialidades e se tornar mais resiliente, você experimentará menos ansiedade e irritação, terá menos decepções e frustrações e sentirá menos solidão, mágoa e ressentimento. E quando as oscilações da vida o alcançarem, você as receberá com mais *paz, contentamento* e *amor*.

COMO USAR ESTE LIVRO

Vamos lhe mostrar como vivenciar, desenvolver e utilizar recursos mentais fundamentais para o bem-estar resiliente. Você encontrará ideias úteis sobre o cérebro, práticas experimentais, ferramentas para construir potencialidades específicas, sugestões para o dia a dia e exemplos reais. O que funciona para algumas pessoas pode não funcionar para outras, por isso quero lhe dar muitas opções. Descubra o que é melhor para você.

É possível usar este livro de várias maneiras. Você pode se debruçar sobre um capítulo por mês para dedicar um ano inteiro ao seu crescimento pessoal, ou escolher a necessidade mais importante para você, digamos, a segurança, e se concentrar nos capítulos relativos a ela. As doze potencialidades se sustentam mutuamente, como pontos interligados de uma rede. Algumas lhe parecerão mais relevantes, e não há problema em pular daqui para lá e descobrir o que mais toca você. O Capítulo 2, "Atenção plena", e o 3, "Aprendizado", tratam de princípios e técnicas indispensáveis que servem de base para o restante do material. Ao chegar a uma prática experimental, você pode ler bem devagar enquanto a executa ou fazer uma leitura em voz alta para gravá-la, e em seguida escutar a gravação e usá-la como um tipo de meditação guiada.

Este livro não substitui um terapeuta nem um tratamento para qualquer tipo de condição médica. Ainda assim, ele se aprofunda em algumas questões que podem ser dolorosas. Seja bondoso consigo mesmo, principalmente nas práticas experimentais. Sempre adapte minha abordagem à sua necessidade.

É possível encontrar informações úteis em muitos lugares, inclusive na ciência, na psicologia clínica e nas tradições contemplativas. Como vamos tratar de um assunto muito amplo, simplifiquei as explicações sobre condições neurológicas, as terapias, os treinamentos específicos e a imensa literatura acadêmica sobre resiliência, bem-estar e tópicos relacionados. Para se aprofundar nos temas, consulte a seção de recursos adicionais no fim do livro e acesse o site em www.RickHanson.net (em inglês), onde você pode encontrar artigos, pesquisas, slides e outros materiais. Em termos de prática contemplativa, a tradição que conheço melhor é o budismo, e apresentarei algumas de suas ideias e métodos. Este livro se baseia em meu programa on-line, o Foundations of Well-Being (Fundamentos do Bem-Estar, www.thefoundationsofwellbeing.com), mas não segue sua estrutura à risca.

Também para simplificar, a voz autoral aqui é o "eu" de Rick Hanson, mas as ideias e palavras de Forrest estão em todas as páginas. Ele contribuiu muito com ideias e insights para este material, e foi uma honra e um prazer escrever este livro com meu filho. Este é um verdadeiro esforço conjunto. Juntos, tentamos oferecer uma obra útil, prática e sincera.

Esperamos que goste.

PRIMEIRA PARTE

RECONHECER

PRIMEIRA PARTE

RECONHECER

CAPÍTULO 1

COMPAIXÃO

Se não eu, quem será por mim? Se não agora, quando?

RABINO HILLEL

Uma das experiências mais importantes da minha vida aconteceu quando eu tinha 6 anos. Morávamos em Illinois, próximo a campos cobertos por milharais. Lembro-me de certa noite estar fora de casa, olhando para a água da chuva empoçada nos sulcos deixados pelos tratores. Depois olhei para nossa casa. Eu estava triste e melancólico por causa da raiva que havia lá dentro. Luzes cintilavam nos morros distantes – lares de outras famílias, talvez mais felizes.

Hoje, já adulto, consigo reconhecer que meus pais eram pessoas boas e carinhosas enfrentando suas próprias dificuldades, e que, em muitos aspectos, minha infância foi afortunada. Meu pai tinha um emprego ruim e minha mãe vivia muito ocupada cuidando de mim e da minha irmã. Não me recordo do que aconteceu em nossa casa naquela noite. Pode ter sido uma discussão comum. Mas eu me lembro como se fosse ontem, de compreender que me importava comigo mesmo. Eu estava me sentindo péssimo e queria me ajudar a me sentir melhor. Muitos anos depois, aprendi que aquilo era *compaixão* – o reconhecimento da dor e o desejo de aliviá-la –, algo que podemos oferecer tanto a nós mesmos quanto aos outros.

Lembro-me claramente de perceber que cabia a mim enfrentar o que viesse pela frente e buscar aquelas luzes, aquelas pessoas e aquela felicidade maior. Eu amava meus pais e não estava contra eles, mas estava a meu favor.

Estava determinado – o mais determinado que uma criança ou mesmo um adulto pode estar – a ter a melhor vida possível.

Meu caminho de bem-estar começou com a compaixão, como acontece com a maioria das pessoas. A compaixão por si mesmo é fundamental, pois, se você não se importar com o que sente nem estiver disposto a *fazer* algo para melhorar, qualquer esforço para se tornar mais feliz e resiliente será em vão. A compaixão é algo suave e forte ao mesmo tempo. Alguns estudos mostram que, quando sentimos compaixão, as áreas de planejamento motor do cérebro se preparam para a ação.

A compaixão é um recurso psicológico, uma *potencialidade interior*. Neste capítulo vamos descobrir como desenvolvê-la e usá-la para nós mesmos. Mais adiante veremos como levá-la aos outros.

ESTEJA A SEU FAVOR

Quando tratamos os outros com respeito e atenção, eles geralmente nos mostram o que têm de melhor. Se conseguíssemos nos tratar assim também, mais ou menos o mesmo aconteceria.

Quase todas as pessoas são mais amigas dos outros do que de si mesmas. Nós nos importamos com a dor do outro, vemos suas qualidades e o tratamos com bondade e de forma justa. Mas que tipo de amigo somos para nós mesmos? Muita gente é dura e crítica em relação a si, censurando ações passadas, alimentando inseguranças, demolindo em vez de construir.

Imagine tratar a si mesmo como você trata um amigo. Você seria incentivador, afetuoso, empático e se ajudaria a se curar e a crescer. Imagine como seria um dia comum se você ficasse a seu favor. Como seria apreciar suas boas intenções e seu bom coração, ser menos autocrítico?

Por que é bom ser bom consigo mesmo

É essencial entender por que é justo e importante ficar a favor de si mesmo. Caso contrário, convicções como estas podem assumir o controle:

"É egoísta pensar no que eu quero." "Eu não mereço amor." "Lá no fundo, sou uma pessoa má." "Vou fracassar se sonhar alto."

Em primeiro lugar, há o princípio geral de que devemos tratar as pessoas com decência e compaixão. Ora, esse "pessoas" inclui a pessoa que usa o crachá com o seu nome. A Regra de Ouro é uma via de mão dupla: devemos fazer a nós mesmos o que fazemos aos outros.

Em segundo lugar, quanto maior nossa influência sobre uma pessoa, maior a responsabilidade de tratá-la bem. Cirurgiões têm um poder imenso sobre seus pacientes, e por isso têm o enorme dever de ser cuidadosos ao operá-los. Quem é a pessoa que você mais pode afetar senão você mesmo? Isso vale tanto neste momento quanto em relação a quem você pode vir a ser no futuro – no próximo minuto, mês ou ano. Se você pensasse em si como alguém de quem tem o dever de cuidar e com quem precisa ser bondoso, o que mudaria? Como falaria consigo mesmo e viveria seus dias?

Em terceiro lugar, ser bom para si mesmo faz bem aos outros. Quando têm um maior bem-estar, as pessoas costumam se tornar mais pacientes, cooperativas e afetuosas em seus relacionamentos. Imagine como os outros se beneficiariam se você fosse menos estressado, preocupado e irritado e se tornasse mais tranquilo, contente e amoroso.

Existem medidas práticas que podem ajudá-lo a realmente acreditar que é bom tratar a si mesmo com respeito e compaixão. Você pode escrever afirmações simples – como "Estou a meu favor" ou "Eu assumo uma posição a favor de mim mesmo" ou "Eu também importo" – e lê-las em voz alta ou colocá-las em algum lugar que lhe permita vê-las todos os dias. Também pode imaginar a si mesmo dizendo a alguém por que vai cuidar melhor de suas próprias necessidades. Ou visualizar um amigo, um mentor ou mesmo sua fada madrinha o mandando ficar a seu favor – e permitir que o convençam disso!

Importar-se consigo mesmo

Quando saí de casa e fui para a UCLA (Universidade da Califórnia, campus de Los Angeles), em 1969, eu era hiper-racional e introspectivo. Era um jeito de evitar ficar triste, magoado e preocupado – mas, na verdade, eu não sentia quase nada. Precisava entrar em contato comigo mesmo para me curar e crescer. Na década de 1970, a Califórnia estava no centro do Movimento do Potencial Humano, e mergulhei nele de cabeça – embora parecesse meio esquisito. (Terapia do grito primal! Grupos de encontro! Desnude sua alma quando quiser!) Aos poucos, aprendi a entrar em contato com as minhas emoções e sensações corporais em geral. Especificamente, comecei a prestar atenção à sensação de estar a meu favor e de sentir afeição por mim mesmo, não frieza e crítica. Era gostoso fazer isso, então continuei fazendo. Toda vez que me concentrava nessas experiências positivas, era como exercitar um músculo e fortalecê-lo repetidas vezes. Com a repetição, a bondade e o incentivo a mim mesmo foram gradualmente assimilados e se tornaram um modo natural de ser.

Muitos anos depois, quando eu já era psicólogo, descobri como meu esforço intuitivo havia funcionado. Permanecer em contato com qualquer experiência de um recurso psicológico e se concentrar nela – como a sensação de estar a seu próprio favor – é um modo poderoso de reforçá-lo no cérebro. Você passa a levar consigo essa potencialidade interior aonde quer que vá.

Nos capítulos sobre atenção plena e aprendizado, explicarei com detalhes como transformar seus pensamentos e sentimentos em potencialidades interiores duradouras, que são a base da verdadeira resiliência. A essência é simples: primeiro vivencie o que quer desenvolver em si – como compaixão ou gratidão, por exemplo – e depois concentre-se nisso, permitindo que o sentimento ganhe corpo e aumente até se consolidar no seu sistema nervoso.

Esse é o processo fundamental da mudança cerebral positiva. Para ter uma ideia, experimente a prática no quadro a seguir. Leva apenas um ou dois minutos, mas você também pode fazê-la mais lentamente se quiser obter um efeito mais profundo. Assim como tudo que eu sugiro, adapte-a às suas necessidades.

Além disso, no fluxo da vida cotidiana, repare quando tiver uma atitude ou sensação de cuidado ou afeição em relação a si mesmo; então procure prolongar essa experiência por mais alguns instantes, sentindo-a no corpo, aprofundando-se nela enquanto a assimila.

FICANDO A SEU FAVOR

Traga à mente uma ocasião em que ficou do lado de alguém: talvez uma criança que você protegeu, um amigo a quem incentivou, um de seus pais, um idoso com problemas de saúde. Recorde quais foram as sensações no seu corpo – no alto dos ombros, na expressão do rosto. Recorde alguns de seus pensamentos e sentimentos – talvez ternura, determinação, até mesmo uma intensidade feroz.

Então, sabendo como é ficar do lado de alguém, aplique essa mesma atitude a si próprio. Perceba a sensação de ser seu próprio aliado – alguém que cuidará de você, que o ajudará e protegerá. Reconheça que você tem direitos e necessidades que importam.

É natural que haja outras reações, como se sentir pouco merecedor dessa atenção. Observe-as e se afaste delas; em seguida, volte à sensação de desejar bem a si mesmo. Concentre-se nessa experiência e mantenha-se nela por alguns momentos a mais.

Traga à mente as vezes em que ficou realmente a seu favor. Talvez tenha se incentivado num período difícil no trabalho ou enfrentado alguém que o magoou. Sinta como foi, emocional e fisicamente. Lembre-se de alguns pensamentos que teve, como "Seria justo que os outros me ajudassem também". Permaneça dentro dessa experiência e deixe que ela preencha sua mente.

Saiba como é se dedicar ao seu próprio bem-estar. Deixe os sentimentos, pensamentos e intenções de ser seu verdadeiro amigo se instalarem, se tornarem parte de você.

LEVE COMPAIXÃO À SUA DOR

A compaixão é a sensibilidade afetuosa em relação ao sofrimento – do sutil desconforto físico ou mental à dor agonizante –, juntamente com o desejo de ajudar se possível. Sentir compaixão reduz o nível de estresse e acalma o corpo. Receber compaixão nos fortalece e melhora nossa capacidade de respirar fundo, encontrar o equilíbrio e seguir em frente.

Quando oferece compaixão a si mesmo, você recebe os benefícios tanto de dá-la quanto de recebê-la. Assim como consegue ver os fardos que os outros carregam, pode reconhecê-los em si. Assim como se comove com o sofrimento alheio, pode ser tocado pelo seu próprio. Você pode se dar o mesmo apoio que daria a outra pessoa. E se você não tem recebido muita compaixão dos outros, é mais importante ainda oferecê-la a si mesmo.

Isso não é choramingar nem se deleitar com o sofrimento. Quando a situação é difícil, é pela compaixão por nós mesmos que começamos, não onde paramos. Pesquisadores como Kristin Neff já mostraram que a autocompaixão torna a pessoa mais resiliente, mais capaz de dar a volta por cima, pois reduz a autocrítica, aumenta o amor-próprio e a ajuda a ser mais ambiciosa e bem-sucedida, e não complacente ou preguiçosa. Na compaixão pela própria dor há uma noção de humanidade compartilha: todos sofremos, todos enfrentamos doença e morte, todos perdemos quem amamos. Todo mundo é frágil. Como cantava Leonard Cohen: "*Há rachaduras em tudo / É assim que a luz entra.*" Todo mundo está rachado. Todo mundo precisa de compaixão.

Desafios à autocompaixão

Ainda assim, a autocompaixão é difícil para muita gente. Uma das razões para isso tem a ver com o funcionamento do sistema nervoso. O cérebro é projetado para ser alterado por nossas experiências, em especial as negativas e aquelas ocorridas na infância. É normal internalizar o modo como nossos pais e outras pessoas nos trataram – o que pode incluir ignorar e punir nossos sentimentos e desejos mais sensíveis ou desdenhar deles – e depois passarmos a nos tratar da mesma maneira.

Por exemplo, tive pais amorosos e atenciosos, e sou muito grato a eles. No entanto, quando pequeno, eu sofria críticas frequentes, sem receber muita compaixão. Acabei assimilando e adotando esse comportamento. Sempre fiquei comovido com a dor dos outros, mas e a minha própria dor? Eu a rejeitava, e depois não entendia por que ela não parava de crescer.

Aprendendo compaixão

Tive que aprender a sentir compaixão por meu próprio sofrimento. Aprendemos muitas coisas na vida – a andar de bicicleta, a pedir desculpas a um amigo ou a nos acalmar depois de um aborrecimento. O que é necessário para o aprendizado acontecer?

O segredo para cultivar qualquer recurso psicológico, inclusive a compaixão, é ter experiências repetidas até que ele se transforme numa mudança duradoura da estrutura ou da função neurológica. É como gravar uma música num antigo gravador de fita: quando a música toca (quando você vivencia o recurso), você o ajuda a deixar marcas em seu sistema nervoso.

Quando estiver vivenciando algo agradável ou útil – talvez a satisfação de terminar um relatório no trabalho ou de desabar no sofá no fim de um dia longo –, simplesmente observe. Você também pode criar deliberadamente a experiência de algo que quer desenvolver, como o sentimento de estar a seu favor. Quando a experiência começar, sinta-a da maneira mais completa possível e reserve um tempinho – uma, duas ou dez respirações – para ficar com ela. Quanto maior for a frequência dessas experiências, mais os recursos psicológicos serão internalizados.

Para desenvolver mais autocompaixão, reserve alguns minutos para experimentar a prática apresentada no quadro a seguir. Assim você estará mais capacitado a aproveitá-la sempre que quiser.

AUTOCOMPAIXÃO

Traga à mente as vezes em que você sentiu o apoio de pessoas, animais ou seres espirituais, recentemente ou no passado mais distante. Qualquer tipo de atenção conta. Lembre-se de quando você foi incluído, visto, apreciado, estimado ou amado. Relaxe e se abra para a sensação de ser cuidado. Caso se distraia, simplesmente volte a se concentrar nela. Mantenha esse sentimento e perceba-o sendo absorvido como água por uma esponja.

Em seguida, pense em uma ou mais pessoas pelas quais você tem compaixão – talvez uma criança sofrendo, o amigo que está se divorciando ou refugiados no outro lado do mundo. Sinta suas dores e preocupações. Sinta ternura, solidariedade, empatia. Você pode pôr a mão no coração e expressar desejos como: "Que sua dor se alivie... que você encontre um emprego... que consiga superar essa doença." Entregue-se à compaixão, deixe que ela o preencha e flua através de você.

Agora que sabe como é a compaixão, aplique-a a si mesmo. Reconheça quão estressado, cansado, doente, maltratado ou infeliz você se sente. Então ofereça compaixão a si próprio, como faria a um amigo que se sentisse da mesma forma. Saiba que todos sofrem e que você não está sozinho. Você pode pôr a mão no coração ou no rosto. Dependendo do que aconteceu, pense: "Que eu não sofra... que essa mágoa passe... que eu não me preocupe tanto... que eu me cure dessa doença." Imagine a compaixão como uma chuva quentinha e suave caindo sobre você, tocando e aliviando os lugares cansados, magoados e saudosos aí dentro.

ENCONTRE ACEITAÇÃO

Certa vez, um amigo e eu escalamos o monte Whitney. O caminho de volta até a barraca era uma descida por um desfiladeiro cheio de neve. Estávamos em outubro, a neve virara gelo e precisávamos nos deslocar devagar e com cuidado. Escurecia, e não conseguíamos enxergar a trilha. Para não correr o risco de uma queda fatal, decidimos passar a noite numa pequena plataforma, enrolados num cobertor térmico, com os pés dentro da mochila, tremendo no frio congelante.

Não gostei de ficar ali, mas tive que encarar nossa realidade. Negá-la ou lutar contra ela poderia nos levar à morte. No alto daquela montanha, cuidar de mim incluía obrigatoriamente o reconhecimento e a aceitação da verdade a respeito do mundo à minha volta, fosse ela qual fosse. A aceitação pode vir acompanhada de outras reações. Por exemplo, uma pessoa pode ficar ofendida com uma injustiça e ao mesmo tempo aceitar que essa injustiça é uma realidade. Aceitação não significa complacência nem desistência. Podemos aceitar algo e ao mesmo tempo tentar melhorar a situação.

Eu também precisava aceitar o que acontecia dentro de mim. Estava cansado, com frio e preocupado. Era assim que me sentia. Tentar afastar esses sentimentos causaria ainda mais estresse a uma situação já estressante, e faria com que eu me sentisse pior. Às veze é bom empurrar pensamentos e sentimentos numa direção mais saudável e feliz, mas isso só dá certo se em primeiro lugar aceitarmos nossas reações, ou nosso empurrão terá pouca força e só vamos tapar o sol com a peneira. Se não aceitarmos a verdade sobre nós, não a veremos com clareza; se não a virmos com clareza, seremos menos capazes de lidar com ela.

O ego é como uma grande casa. Não aceitar tudo o que somos é como trancar alguns cômodos: "Opa, não posso parecer vulnerável, é melhor trancar essa porta." "Pedir carinho me deixou com cara de idiota, nunca mais faço isso: porta trancada." "Cometo erros quando me empolgo, então adeus, paixão, jogue fora a chave." Como seria abrir todas as portas dentro de você? Você sempre poderá ficar de olho no que há dentro dos vários cômodos e decidir como agir ou se mostrar ao mundo. Aceitar lhe dá mais domínio sobre o que há dentro de você. Use a prática no quadro a seguir para aprofundar a autoaceitação.

AUTOACEITAÇÃO

Olhe em volta, encontre alguma coisa que existe e aceite-a como ela é. Descubra o que você sente quando aceita algo.

Pense num amigo e nos diferentes aspectos dessa pessoa. Explore como é aceitar esses aspectos de seu amigo. Veja se consegue sentir alívio, abertura e calma com isso.

Esteja consciente de sua experiência. Tente aceitar o que estiver vivenciando sem acrescentar nada. Você é capaz de aceitar a sensação da respiração como ela é? Se surgirem julgamentos, você consegue aceitá-los também? Tente dizer a si mesmo coisas como "aceito este pensamento", "aceito esta dor" ou "aceito que me sinto grato ou triste". Se houver alguma resistência, você consegue aceitá-la? Se algumas partes de sua experiência forem difíceis, recorde a ideia de estar a seu favor e a ideia de autocompaixão. Tenha consciência da aceitação como uma experiência em si, uma atitude ou orientação em relação às coisas que vê sem virar o rosto, que recebe sem resistir a elas. Deixe a aceitação se espalhar dentro de você.

Tenha consciência das suas diferentes partes, aquelas de que gosta e as de que não gosta. Você pode citar algumas para si: "Há uma parte que gosta de doces... uma parte solitária... uma parte que critica... uma parte que se sente jovem... uma parte que quer amor." Então explore como é aceitar a existência dessas partes, começando pelas mais fáceis. Se algumas coisas forem difíceis de aceitar, saiba que isso é normal, está tudo bem, e você pode voltar a elas mais tarde se quiser. E pode dizer a si coisas como "aceito a parte de mim que ama meus filhos... aceito a parte de mim que deixa a louça suja na pia... aceito a parte de mim que sofreu bullying na escola... aceito a parte de mim que é ressentida." A aceitação pode fazer parecer que seu interior se suavizou, abrindo-se para incluir várias outras partes suas. Você pode abraçar o próprio corpo. Mergulhe na autoaceitação à medida que ela se acomoda em você.

APROVEITE A VIDA

Se uma empresa farmacêutica pudesse patentear o prazer, todas as noites haveria anúncios desse produto na TV. Experiências agradáveis – como acariciar um gato, beber água quando se tem sede ou sorrir para um amigo – diminuem os hormônios do estresse, fortalecem o sistema imunológico e ajudam a aliviar frustrações e preocupações.

À medida que o prazer aumenta, cresce a atividade de substâncias neuroquímicas importantes, como a dopamina, a norepinefrina e os opioides naturais. No cérebro, circuitos nos gânglios da base usam o aumento da dopamina para priorizar e buscar ações que pareçam gratificantes. Quando você quiser ficar mais motivado para determinadas atividades como fazer exercícios, comer alimentos saudáveis ou seguir adiante num projeto difícil no trabalho, concentrar-se no que há de agradável nelas vai levá-lo naturalmente a querer fazê-las. A norepinefrina ajuda a nos manter atentos e engajados. Numa reunião chata à tarde, encontrar algo – qualquer coisa – agradável nela o manterá acordado e o deixará mais eficiente. Os opioides naturais, como as endorfinas, acalmam o corpo quando ficamos estressados e reduzem tanto a dor física quanto a emocional.

Juntas, a dopamina e a norepinefrina classificam as experiências como "dignas de conservar", aumentando sua consolidação como recursos duradouros dentro do cérebro. Digamos que você queira ser mais paciente em casa ou no trabalho. Para cultivar essa potencialidade interior, procure oportunidades de vivenciar a paciência. Então concentre-se no que é agradável nisso, como o prazer de sentir calmo e relaxado. A experiência da paciência ou de qualquer outro recurso psicológico é um estado de espírito, e apreciá-lo ajuda a consolidar essa característica positiva no seu cérebro.

Aproveitar a vida é um modo poderoso de cuidar de si. Pense em algumas das coisas de que gosta. Eu diria: sentir o cheiro de café, conversar com meus filhos e ver uma planta crescendo em uma rachadura na calçada. O que está na sua lista? Não se trata tanto dos momentos grandiosos, mas das pequenas oportunidades reais de prazer, presentes até na vida mais difícil: talvez a amizade que sente por alguém, relaxar ao soltar o ar ou adormecer no fim de um dia difícil. E não importa o que está acontecendo fora de você; sempre é possível encontrar na sua mente algo que lhe dê prazer, talvez uma piada particular, uma experiência imaginária ou o reconhecimento do próprio coração caloroso.

Essas pequenas formas de aproveitar a vida contêm uma grande lição. Em geral, são as coisinhas miúdas acumuladas ao longo do tempo que fazem a maior diferença. Há um ditado no Tibete que diz: "Se você cuidar dos minutos, os anos cuidarão de si mesmos."

Qual é o minuto mais importante na vida? Acho que é o próximo. Não há nada que possamos fazer sobre o passado e temos influência limitada sobre as horas e os dias que ainda virão, mas o minuto seguinte – e o seguinte e o que vem depois – está sempre cheio de possibilidades. Haverá oportunidades de ficar a seu favor, de levar algum carinho à sua dor, de se aceitar e ter prazer? Haverá algo que você possa curar, algo que possa aprender?

Minuto a minuto, passo a passo, potencialidade a potencialidade, você sempre pode cultivar o bem que há dentro de você. Para seu próprio bem e para o dos outros.

PONTOS-CHAVE

- A compaixão envolve a preocupação afetuosa com o sofrimento e o desejo de aliviá-lo se possível. A compaixão pode ser oferecida aos outros e a si mesmo.
- A compaixão é um recurso psicológico, uma potencialidade interior que pode ser desenvolvida com o tempo. Cultivamos potencialidades interiores experimentando-as repetidas vezes, o que causa mudanças duradouras no sistema nervoso.
- Ficar a seu favor e levar carinho à sua dor tornarão você mais resiliente, confiante e capaz. Ser bom consigo mesmo também é bom para os outros.
- Aceitar as coisas como são – o que você é, inclusive – ajuda a lidar com elas de maneira mais eficaz, pois, sem tanta resistência, temos menos estresse.
- Os momentos agradáveis enriquecem nossos dias. Também reduzem o estresse, geram conexão e aumentam seu aprendizado com as experiências da vida (o benefício mais duradouro).
- Pequenas coisas se acumulam ao longo do tempo. Muitas vezes por dia, você pode mudar seu cérebro para melhor.

CAPÍTULO 2

ATENÇÃO PLENA

*A educação da atenção seria
a educação por excelência.*

WILLIAM JAMES

Ter atenção plena significa estar presente neste momento como ele é, a cada momento, sem se deixar levar por devaneios, ruminações ou distrações. Manter a consciência no momento presente é fácil – talvez por uma ou duas respirações. O segredo é *permanecer* atento – o que, como muitas pesquisas já mostraram, diminui o estresse, protege a saúde e melhora o humor.

É fácil manter a atenção plena quando estamos sentados numa almofada com uma xícara de chá quentinho na mão. Já em situações estressantes ou emocionalmente exigentes, como ao discutir com alguém que você ama, é mais difícil. A atenção plena pode parecer quase completamente fora do alcance quando você mais precisa dela.

Para construir a potencialidade da atenção plena, começaremos com maneiras práticas de desenvolver uma atenção estável e firme e de se manter centrado, de forma a não se deixar distrair ou dominar por experiências estressantes ou perturbadoras. Em seguida examinaremos as três principais maneiras de guiar sua mente e se relacionar com ela, além do papel da atenção plena em cada uma delas. Depois veremos como usar a atenção plena para atender às necessidades básicas que todos nós temos: segurança, satisfação e conexão. Na última seção examinaremos os dois modos diferentes com que o cérebro lida com situações desafiadoras e como a atenção plena pode nos ajudar a responder a elas a partir de um lugar de paz, contentamento e amor subjacente, e não de medo, frustração e mágoa.

ESTABILIZE A MENTE

Seu sistema nervoso foi projetado para ser alterado pelas suas experiências (o nome técnico disso é *neuroplasticidade dependente da experiência*) e suas experiências dependem do seu foco de atenção. Há um velho ditado que diz: "Você é o que come." Isso vale para o seu corpo, mas *você* – a pessoa que você é – se torna aos poucos aquilo em que sua atenção repousa. Você consegue manter sua atenção nas diversas coisas que são úteis e agradáveis em seu dia, atraindo-as para dentro de si? Ou fica tomado por preocupações, autocríticas e ressentimentos, tornando tudo isso parte de quem você é?

Para converter experiências passageiras em potencialidades interiores duradouras, é preciso concentrar a atenção numa experiência por tempo suficiente para que ela comece a se consolidar no sistema nervoso. Infelizmente, a maioria das pessoas tem a atenção dispersa, com a mente disparando e perambulando de lá para cá. Não faltam motivos para isso. Vivemos numa cultura acelerada, bombardeada pela mídia, fazendo várias coisas ao mesmo tempo, sempre em busca de novos estímulos. O estresse, a ansiedade, a depressão e os traumas podem dificultar a concentração. E algumas pessoas são naturalmente mais distraídas do que outras.

Como funciona a atenção plena

A atenção plena é o segredo para regular sua atenção de forma a extrair o máximo das experiências benéficas e, ao mesmo tempo, limitar o impacto das prejudiciais e estressantes. Ela nos capacita a reconhecer para onde nossa atenção foi. A raiz da palavra que significa "atenção plena" em pali, idioma do antigo budismo, se refere à *memória*. Com atenção plena, cultivamos as lembranças em vez do esquecimento, e nos tornamos serenos e integrados em vez de dispersos.

É possível estar consciente de algo que está num campo bem delimitado de atenção, como ao enfiar uma linha na agulha, ou numa área bem mais ampla, como ao observar todo o fluxo contínuo da consciência. E você pode aplicar a atenção plena tanto ao seu mundo interior quanto ao que acontece à sua volta, como aos sentimentos de mágoa dentro de você quando alguém o desaponta ou a um caminhão que avança ao lado de seu carro na chuva.

Outras coisas podem acontecer ao mesmo tempo que a atenção plena, como alguma compaixão por sua mágoa ou certa cautela em relação ao caminhão que se aproxima demais numa autoestrada movimentada, mas a atenção plena em si não tenta mudar sua experiência nem seu comportamento. Ela é receptiva e aceita tudo, sem julgar nem controlar nada, mantendo suas reações numa consciência espaçosa que, em si, nunca é perturbada pelo que passa através dela. Com a atenção plena, é possível ter um distanciamento em relação às suas reações e observá-las a partir de um lugar mais tranquilo e centrado. Você é capaz de aceitá-las como são e, ao mesmo tempo, não se identificar com elas. Naturalmente, isso não significa que a única maneira de estar consciente seja testemunhar passivamente suas experiências passando por você. É possível ter atenção plena enquanto também conversamos com as pessoas, fazemos escolhas e conquistamos nossos objetivos.

Fortalecendo a atenção plena

A atenção plena é como um músculo mental que você pode fortalecer ao torná-la parte habitual do seu cotidiano. Com o tempo, desenvolver a atenção plena lhe dará uma qualidade de presença contínua, sólida e inabalável.

Esteja consciente de estar consciente

Alguma vez você estava perdido numa divagação mental, preocupado com dinheiro ou com o que um amigo pensava de você, e sentiu que "despertou" desse devaneio? Essa é uma experiência de atenção plena. Você também pode ter a sensação de ter consciência do momento presente ao caminhar até o trabalho, olhar pela janela ou refletir sobre seu dia quando se prepara para dormir.

Sempre que a experimentar, saiba qual é a sensação da atenção plena. Você voltou para dentro de si, para casa. Está simplesmente aqui, simplesmente agora... continuamente. Também tenha consciência de *não* estar consciente. Tente notar mais depressa quando sua atenção divagar. Por exemplo, você pode programar o celular para tocar baixinho em horários aleatórios, para se lembrar de permanecer plenamente consciente durante todo o dia. Com um pouco de prática, na próxima vez que o celular tocar, você já estará consciente do momento presente.

Reduza as distrações

Você também pode usar a função "não perturbe" do celular para reduzir ligações e mensagens que o interrompam. Em certo sentido, sua atenção é de sua propriedade. Na medida do possível, não deixe que os outros ou o mundo agitado à sua volta a tomem de você sem sua permissão. Tente desacelerar e fazer uma coisa de cada vez, com atenção total.

Inclua a atenção plena em seu dia

Foque em sua respiração enquanto conversa com alguém ou cumpre tarefas. Isso o ajudará a se manter centrado em si e no momento presente. Volte sua atenção para a respiração muitas e muitas vezes por dia. Você pode usar coisas que faz habitualmente, como as refeições, para fazer uma pausa, se centrar e entrar em contato com o momento presente. E pode fortalecer sua atenção fazendo algo de que gosta e que exija concentração, como artesanato ou palavras cruzadas.

Medite

Há muitos métodos, tradições e mestres, tanto laicos quanto religiosos. As pessoas perguntam: qual é a melhor meditação? Acho que a melhor meditação é aquela que a pessoa realmente pratica com regularidade. Portanto, descubra o que funciona para você e o faz se sentir bem. Você pode se comprometer a meditar um minuto ou mais por dia, mesmo que seja o último minuto antes de deitar a cabeça no travesseiro. Eu mesmo assumi esse compromisso e, francamente, isso mudou minha vida. Comecei a meditar em 1974 e descobri que as meditações mais poderosas costumam ser as mais simples. Sugiro que você experimente a que está no quadro a seguir.

UMA MEDITAÇÃO SIMPLES

Separe alguns minutos para ficar em um lugar tranquilo. Encontre uma postura confortável, seja sentado, em pé ou deitado. Ou você pode caminhar devagar, talvez de um lado para o outro numa sala. Concentre-se em algo que o ajude a estar presente, como uma sensação, uma palavra, uma imagem ou um sentimento. Aqui usaremos a respiração; adapte minhas sugestões se escolher outro objeto como foco de atenção.

Tenha consciência das sensações da sua respiração no rosto, no peito, na barriga ou no corpo inteiro. Esteja atento ao início da inalação, mantenha a consciência durante toda a inspiração e então faça o mesmo ao exalar... um fôlego após o outro. Se ajudar, conte suas respirações até quatro ou, talvez, até dez, e então recomece; se perder a conta, simplesmente volte ao um. Ou use palavras suaves, como "inspira... expire... subindo... descendo". Se a mente divagar, tudo bem; quando notar, simplesmente volte ao seu objeto de atenção.

À medida que respira, relaxe. Sons e pensamentos, lembranças e sentimentos vêm e vão, passando pela consciência. Você não está tentando silenciar a mente. Em vez disso, está se desligando das distrações, sem resistir ao que é desagradável nem se apegar ao que é agradável. Está se acomodando em simplesmente estar no presente, abrindo mão do passado, sem temer nem planejar o futuro. Nada a consertar, nenhum outro lugar para ir, ninguém que você tenha de ser. Descanse e relaxe, seu corpo inteiro respirando.

Sem tensão nem estresse, busque abrir-se para uma paz crescente. Então, em seu próprio ritmo, veja se consegue encontrar certo contentamento. E, quando quiser, abra-se para um sentimento de amor. Outras coisas podem estar presentes na consciência, como dor ou preocupação, e tudo bem. Deixe-as estar enquanto você permanece consciente da respiração, talvez com uma sensação crescente de bem-estar.

Durante a meditação, sinta o relaxamento e outras experiências benéficas se instalarem em você, se tornarem parte de você. Ao se aproximar do fim da prática, permita-se receber seus benefícios.

ENCONTRE REFÚGIO

A atenção plena ajuda você a se abrir às suas camadas mais profundas. Em geral, isso é muito agradável, mas às vezes, quando não estamos preparados, pode ser como abrir um alçapão e topar com algo assustador. Por exemplo, quando comecei a faculdade, no finzinho da década de 1960, as pessoas diziam: "Ei, bicho, sinta seus sentimentos, viva suas experiências." Eu achava aquilo muita maluquice. Havia sentimentos dolorosos em mim; por que eu deveria senti-los? Ainda assim, eu sabia que tinha que me abrir. Mas era assustador. Eu precisava me sentir seguro não importando o que saísse pelo alçapão. Eu precisava encontrar um *refúgio*.

Pensei em quando era criança e escapava de casa para ir até os laranjais e morros próximos. Subir em árvores e ficar ao ar livre me ajudava a relaxar e me sentir forte. Eu levava esses sentimentos bons de volta comigo quando retornava para casa, como se as árvores e as colinas estivessem dentro de mim e eu pudesse visitá-las na minha cabeça, em busca de apoio e consolo. Anos depois, na faculdade, voltei àquela sensação de refúgio que eu encontrava na natureza. Foi o que me ajudou a ter coragem para explorar o porão escuro e assustador da minha mente – o que raramente foi tão doloroso quanto eu temia.

Conhecendo seus refúgios

Um refúgio é qualquer coisa que o proteja, ampare ou estimule. A vida pode ser dura, e todo mundo tem experiências difíceis e desconfortáveis. Todos precisamos de refúgios. Quais são os seus?

Um animal de estimação ou outras pessoas podem ser um refúgio para você. Minha esposa é um refúgio para mim e os amigos de meu filho Forrest são um refúgio para ele. Lugares podem ser refúgios: sua cafeteria favorita, uma igreja, uma biblioteca, um parque. Alguns objetos podem ser um refúgio, como uma xícara de café, um suéter aconchegante ou um bom livro no fim de um longo dia. Você também pode se refugiar em atividades – talvez levar o cachorro para passear, tocar violão ou assistir à TV antes de dormir.

Alguns refúgios são intangíveis. Como foram, para mim, as lembranças de estar ao ar livre, das laranjeiras da infância às viagens a lugares selvagens quando adulto. Você pode recordar a sensação da cozinha da sua avó ou do seu neto adormecendo no seu colo. Para muita gente, a sensação de algo sagrado ou divino é um refúgio profundo. Ideias podem ser refúgios – como as descobertas dos cientistas, a sabedoria dos santos ou simplesmente saber que seus filhos o amam de verdade.

Também existe o refúgio fundamental de ter fé no que há de bom dentro de você. Isso não significa ignorar o resto. Você simplesmente está percebendo sua decência, sua doçura, sua bondade, suas boas intenções, suas habilidades e seus esforços. São fatos a seu respeito, e reconhecê-los é uma fonte confiável de refúgio.

Usando seus refúgios

No fluxo do seu dia, encontre refúgios, como um tempo só para você no banho matutino, a camaradagem amistosa dos colegas de trabalho, a música que escuta no caminho para casa ou pensamentos de gratidão ao se preparar para dormir. Também é possível reservar algum tempo para criar experiências contínuas de refúgio, como a prática descrita no quadro a seguir.

Quando encontrar um refúgio, desacelere. Tenha consciência do que sente nesse refúgio – talvez relaxamento, tranquilidade, alívio. Fique com essa experiência por uma respiração ou mais. Observe o que há de agradável nela. Deixe a sensação de encontrar-se num refúgio se instalar e se estabelecer dentro de você como algo a que pode recorrer sempre que quiser.

Se estiver consciente e começar a se sentir sufocado com o que surge na sua consciência, concentre-se num refúgio e na sensação que ele lhe traz. É como observar a tempestade de dentro de um lugar seguro. Em algum momento a tempestade passará, assim como passam todas as experiências, e sua essência intacta e tranquila permanecerá.

ENCONTRANDO REFÚGIO

Escolha algo que seja um refúgio para você, como a imagem de um lindo campo, a lembrança de uma pessoa amada ou a sabedoria de um ditado. Abra-se para pensamentos e sensações ligados a esse refúgio. Perceba como é ter um refúgio; sinta essa experiência, deixe-a entrar.

Tente falar o nome do refúgio, como "Eu me refugio em _____". Veja como se sente e permita que a sensação cresça dentro de você. Experimente fazer isso dando nome a outros refúgios.

Tente se relacionar com o refúgio não como algo "lá fora", separado de você, mas como algo presente em seu interior. Você pode dizer coisas como "Que eu venha de _____", ou "Estou residindo em _____" ou "Que eu seja animado por _____". Visto dessa maneira, o refúgio é uma correnteza benéfica e salutar que o leva com ele.

Experimente refugiar-se na gratidão, na sensação de ser amado por pessoas que se preocupam com você, na sensação de sua bondade e decência... em qualquer coisa que queira.

Entregue-se a seus refúgios. Deixe que eles vivam em você.

DEIXE ESTAR, DEIXE IR, DEIXE ENTRAR

A psicologia clínica, o *coaching*, o treinamento de recursos humanos, as oficinas de crescimento pessoal e as tradições contemplativas do mundo oferecem muitas maneiras de sermos felizes, amorosos, eficientes e sábios. Apesar de toda a variedade desses métodos e abordagens, eles se dividem em três grupos, três maneiras principais de engajar sua mente.

Em primeiro lugar, você pode *permanecer com o que está ali*. Sinta os sentimentos, viva cada experiência, tanto as amargas quanto as doces. Você pode explorar os diversos aspectos de uma experiência – sensações, emoções, pensamentos e desejos – e, talvez, até mesmo o que o torna mais vulnerável, como a mágoa tantas vezes encontrada por trás da raiva. A experiência pode mudar durante esse processo, mas você não está deliberadamente tentando mudá-la.

Em segundo lugar, você pode *reduzir o negativo* – tudo o que for doloroso e prejudicial –, prevenindo, diminuindo ou lhe colocando um fim. Por exemplo, pode desabafar com um amigo, afastar o excesso de autocrítica, parar de comprar biscoitos que aumentam o desejo de açúcar ou aliviar a tensão relaxando o corpo.

Em terceiro lugar, você pode *aumentar o positivo* – tudo o que for agradável e benéfico –, criando, cultivando ou preservando-o. É possível respirar mais depressa para elevar rapidamente o nível de energia, recordar ocasiões com os amigos que o deixam feliz, ter pensamentos úteis e realistas sobre alguma situação no trabalho ou se motivar imaginando como será bom comer alimentos saudáveis.

Em outras palavras, tornar-se bom em enfrentar as dificuldades e em encontrar cura e bem-estar é uma questão de ser bom em *deixar estar*, *deixar ir* e *deixar entrar*. A atenção plena é necessária em tudo isso, já que sem ela não podemos fazer nada disso. Além do mais, esses modos de trabalhar a mente funcionam juntos. Por exemplo, você pode usar o terceiro (aumentar o positivo) para cultivar um recurso interior como a autocompaixão para poder deixar estar algum sentimento doloroso.

Imagine que sua mente é um jardim. Você pode cuidar dele de três maneiras: pode observá-lo, arrancar ervas daninhas ou plantar flores. Observá-lo é fundamental e às vezes é só o que se pode fazer. Talvez algo terrível tenha acontecido e você só possa esperar a tempestade passar. Mas estar com a mente não basta; é preciso trabalhá-la também. A base da mente é o cérebro, que é um sistema físico que não muda para melhor sozinho. Você não arranca ervas daninhas nem planta flores apenas observando o jardim.

Superando um aborrecimento

As três maneiras de engajar a mente oferecem o passo a passo para superar um aborrecimento. Suponhamos que você esteja estressado, magoado ou zangado. Comece permanecendo com o que estiver acontecendo dentro de você. Entre em sintonia com seu corpo: talvez haja um aperto no peito ou uma sensação de vazio. Explore suas emoções, seus pensamentos e desejos. Descubra também o que pode estar mais no fundo e ser mais vulnerável, como a dor de um rompimento recente por trás do temor de voltar a namorar. Esteja a seu favor e tenha autocompaixão.

Em segundo lugar, quando sentir que é a hora certa, comece a deixar ir. Respire fundo algumas vezes, soltando o ar devagar, e deixe toda a tensão se esvair de seu corpo. Caso tenha vontade, libere as emoções desabafando com um amigo, gritando no chuveiro, chorando ou imaginando um rio de luz se derramando em você e levando embora todos os sentimentos de tristeza ou aborrecimento. Afaste sua atenção do circuito fechado de pensamentos negativos. Questione crenças exageradas ou falsas, pensando nos motivos por que estão erradas. Tente ver o quadro mais amplo. O que aconteceu provavelmente é um pequeno capítulo do longo livro de sua vida. Saiba que um desejo problemático – como querer ceder à raiva e explodir – pode magoar você ou os outros. Imagine-se segurando esse desejo na mão, como uma pedra, e depois deixe-o cair no chão.

Em terceiro lugar, quando estiver pronto, comece a deixar entrar. Reconheça que passou por algo difícil e se valorize por isso. Deixe o alívio e o relaxamento se espalharem por seu corpo. Observe ou traga à mente sentimentos que sejam substitutos naturais do que você liberou, como a tranquilidade que se espalha por dentro à medida que a ansiedade se esvai. Concentre-se em pensamentos úteis, substituindo os que forem errados e prejudiciais. Veja se há alguma lição para aprender, como maneiras de ser mais bondoso consigo mesmo ou mais cooperativo com os outros. Decida se há algo a fazer de forma diferente a partir de agora, como sair mais cedo para o aeroporto ou não discutir questões financeiras com seu parceiro logo antes de ir dormir.

Confie em sua intuição quando passar de um passo a outro. É como a história de Cachinhos Dourados e os três ursos, na qual uma cama é dura demais, a outra é mole demais e a terceira, perfeita. O que parece "perfeito" dependerá da experiência em si. Por exemplo, você pode ter um pensamento crítico negativo por alguns segundos, reconhecer nele seu já familiar e estridente falatório ("Ah, aí está você outra vez, reclamando de como os outros dirigem") e passar rapidamente para a etapa de deixar ir. Não há valor algum em ouvir essa voz mental falando sem parar; você já captou a mensagem, portanto, desligue o telefone.

Mas às vezes a situação é simplesmente difícil demais, e o máximo que se pode fazer é tolerá-la. Talvez seu cônjuge tenha morrido e se leve muitos anos para você ir do primeiro ao segundo passo – deixar estar e deixar ir – antes de sequer imaginar que mais alguém possa entrar em seu coração. Talvez outras pessoas queiram apressá-lo, mas avance em seu próprio ritmo. Pode ser que o máximo que você consiga fazer seja tocar a dor por alguns segundos e depois haja necessidade de recuar algum tempo até estar com ela de novo. Pessoalmente, entrei na idade adulta com um grande balde repleto de lágrimas dentro de mim. Sentir tudo ao mesmo tempo seria avassalador, portanto o esvaziei aos poucos, uma colherada de cada vez.

Se, ao tentar deixar ir e entrar, você sentir que parece algo superficial ou pouco autêntico, volte ao primeiro passo e permaneça com sua mente. Explore o que mais houver para vivenciar completamente, talvez algo mais leve e jovial. Às vezes, o processo de deixar estar, deixar ir e deixar entrar revela a camada seguinte de material psicológico. Você pode usar os três passos para se deslocar por essa camada e, talvez, por camadas adicionais, numa espiral cada vez mais profunda. Mantenha-se consciente, e estará arrancando ervas daninhas, plantando flores e passando a conhecer melhor seu jardim durante todo o processo.

CUIDE DE SUAS NECESSIDADES

Pouco depois do nascimento de Forrest, meus pais vieram nos visitar, e minha mãe ficou emocionada ao pegar o primeiro neto no colo. Ela o colocou junto ao peito, perto do rosto, e começou a falar:

– Ah, que bebezinho lindo, que gracinha você é!

Mas ele não conseguia manter a cabeça ereta para olhá-la e começou a ficar inquieto. Minha mãe continuou falando com ele, enquanto ele ficava cada vez mais irritado. Murmurei:

– Mãe, acho que ele quer que você o segure de lado para ficar mais confortável.

– Ele não sabe o que quer – disse ela alegremente.

Surpreso, eu disse que ele queria ser segurado de outra forma, porque estava bem antes de ela pegá-lo no colo. Ela respondeu com gosto:

– Ora, quem se importa com o que ele quer!

Resmunguei que eu me importava e peguei meu filho de volta.

Há muitas questões nessa história. Minha mãe era muito carinhosa e estava extasiada por ver Forrest. Naquele momento, ela apenas exprimiu dois conceitos que fizeram parte de sua criação: crianças são seres que não sabem o que querem e, mesmo que soubessem, suas vontades não teriam muita importância quando comparadas às dos adultos.

Em termos realistas, nenhum adulto ou criança terá todas as vontades satisfeitas. Nem deveriam, pois alguns desejos são prejudiciais. Ainda assim, por trás de cada vontade há uma necessidade saudável. Minha mãe precisava se sentir próxima da família; precisava dar e receber amor; precisava sentir que era valorizada e respeitada. Essas necessidades são perfeitamente normais. Emocionada em nos ver e tendo sido criada de uma determinada maneira, ela se dispôs a atender às próprias necessidades de um jeito que causaria problemas – sendo pouco habilidosa com um bebê e insensível ao filho e à nora –, mas suas intenções eram boas.

Necessidades e vontades se confundem. E o que é necessidade para um pode ser vontade para outro, de modo que não vou traçar um limite nítido entre uma e outra. Toda criatura viva – inclusive grandes e complicados seres humanos – é motivada a seguir as próprias vontades e satisfazer as próprias necessidades. O querer é fundamental e inescapável. Por isso, se tivermos uma consciência mais profunda de nossas vontades e necessidades – e de nossos pensamentos e sentimentos a respeito delas –, poderemos satisfazê-las melhor e nos aceitar mais.

Aprendendo sobre o querer

Esteja consciente de suas experiências ligadas à vontade, que incluem preferir uma coisa a outra, buscar uma meta, fazer um pedido e insistir sobre alguma questão. Especificamente, perceba como você é afetado pela reação dos outros às suas vontades e necessidades. Se lhe oferecem apoio, é provável que você se sinta bem. Mas se o ignoram, rejeitam ou frustram, é natural imaginar que suas vontades e necessidades não importam, que de fato podem ser embaraçosas e até mesmo repugnantes – e, por extensão, que *você* não importa e que pode haver algo errado com você, algo que deveria reprimir e esconder.

Os resíduos dessas e de outras experiências ficam armazenados no cérebro como *aprendizado* emocional, social e somático. O processo começa quando somos muito pequenos e precisamos que outras pessoas interpretem nossas vontades e necessidades com exatidão, reagindo a elas adequadamente e com carinho. Aprendemos sobre o próprio querer: quais vontades são permitidas e podem ser satisfeitas diretamente, quais devem ser camufladas e satisfeitas disfarçadamente e quais são consideradas vergonhosas e devem ser negadas.

Com a atenção plena, você pode olhar para dentro e se entender melhor. Reserve algum tempo para explorar as respostas às seguintes perguntas:

- Como seus pais reagiam às suas vontades? O que você aprendeu sobre seus desejos quando criança?
- Quando adulto, como os outros passaram a reagir às suas vontades? De que maneira você foi apoiado? De que maneira suas vontades foram ignoradas, criticadas ou frustradas? Como você se sentiu com tudo isso?
- Como seu passado afetou o modo pelo qual você tenta satisfazer suas vontades e necessidades hoje em dia? Por exemplo, você já teve vergonha de algumas das coisas que quer?
- Ao refletir sobre tudo isso, há alguma mudança que você gostaria de fazer? Talvez pudesse ser mais aberto sobre suas vontades ou mais objetivo ao buscá-las.

Suas três necessidades

A consciência do passado ajuda a nos conhecermos melhor no presente e a cuidarmos melhor de nossas necessidades no futuro. Portanto, do que você precisa? A psicologia classifica as necessidades de várias maneiras. De forma a resumi-las, classifiquei-as em três necessidades básicas:

1. Precisamos de *segurança*, o que inclui desde a mais pura sobrevivência até a certeza de que não seremos atacados se falarmos. Satisfazemos essa necessidade *evitando* coisas que podem nos ferir, como quando não encostamos no fogão quente ou nos afastamos de determinadas pessoas.
2. Precisamos de *satisfação*, o que inclui desde ter alimento suficiente até sentir que vale a pena viver. Lidamos com isso *nos aproximando* de recompensas em diferentes atividades, como quando sentimos o aroma de rosas, lavamos toda a roupa suja ou construímos uma empresa.
3. Precisamos de *conexão*, o que inclui desde a expressão da sexualidade até nos sentirmos amados e dignos de afeto. Cuidamos dessa necessidade *nos apegando* a outras pessoas, como quando enviamos uma mensagem a um amigo, sentindo que somos compreendidos ou oferecendo apoio.

Toda espécie animal, inclusive a nossa, precisa de sua versão de segurança, satisfação e conexão. Essas necessidades básicas estão enraizadas na própria vida, e o modo como lidamos com elas hoje se baseia na evolução do sistema nervoso nos últimos 600 milhões de anos. Para simplificar um processo longo e complexo, o cérebro foi construído de baixo para cima, como uma casa de três andares.

Na "casa" do cérebro, o primeiro andar e também o mais antigo é o *tronco cerebral*, desenvolvido no estágio reptiliano da evolução, com foco na segurança. Em sua essência está a necessidade mais fundamental de todas: manter-se vivo. O segundo andar é o *subcórtex*, que contém o *hipotálamo*, o *tálamo*, a *amígdala*, o *hipocampo* e os *gânglios da base*. Essa parte do cérebro tomou forma durante a fase mamífera da evolução, que começou há cerca de 200 milhões de anos. O subcórtex nos ajuda a ser mais eficientes na busca de satisfação. O andar de cima é o *neocórtex*, que começou a se expandir com os primeiros primatas há cerca de 50 milhões de anos e triplicou de volume desde que os primeiros hominídeos começaram a manufaturar ferramentas, 2,5 milhões de anos atrás. O neocórtex permitiu que os seres humanos se tornassem a espécie mais social do planeta. Ele é a base neurológica da empatia, da linguagem, do planejamento cooperativo e da compaixão, formas sofisticadas de satisfazer nossa necessidade de conexão.

Em certo sentido, andamos por aí com um zoológico dentro da cabeça. As soluções para os problemas de vida ou morte enfrentados por nossos antigos ancestrais que nadavam em oceanos escuros, se escondiam de animais selvagens ou lutavam contra outros grupos na Idade da Pedra estão inscritas no cérebro de hoje. Embora funcionem juntas para satisfazer nossas necessidades, as partes do cérebro têm funções especializadas, configuradas por nossa história evolutiva. Metaforicamente, é como se cada um de nós tivesse um lagarto interior paralisado ou fugindo do perigo, um camundongo farejando queijo e um macaco procurando seu bando.

Acolhendo suas necessidades

Pode parecer embaraçoso admitir que você tem necessidades. Um país ou cultura pode valorizar a independência completa, mas a realidade é que todos dependemos de muitos elementos para alcançar a sobrevivência, o sucesso e a felicidade, desde o ar que respiramos e a bondade de desconhecidos até a infraestrutura da civilização. A verdadeira austeridade é ter coragem suficiente para admitir a realidade da carência humana.

Não se consegue ter corpo e mente saudáveis negando, "superando" ou transcendendo as necessidades. Pelo contrário, a saúde é o resultado natural de cuidar das próprias necessidades e de estar atento às necessidades dos outros. Em consequência, as necessidades que rejeitamos costumam ser as que mais precisamos acolher.

Portanto, tente ter consciência das necessidades ou seus aspectos que não foram atendidos. Escute os anseios de seu coração. Ao longo do dia, esteja consciente das necessidades de:

- **Segurança.** Observe quando se sentir pouco à vontade, irritado ou sobrecarregado. Veja se alguma crença que talvez não seja verdadeira o está deixando ansioso. Quando parecer o momento certo, passe para as etapas de deixar ir e deixar entrar; encontre refúgios e se estabeleça da melhor maneira possível num lugar de paz.
- **Satisfação.** Esteja consciente de sentimentos de tédio, desapontamento, frustração ou perda. Depois de explorar essas experiências, pense em coisas pelas quais se sente grato ou satisfeito. Veja se consegue encontrar uma sensação de contentamento.
- **Conexão.** Observe quando sentir mágoa, ressentimento, inveja, solidão ou inadequação. Então recorde ocasiões em que percebeu que se preocupavam com você e vezes em que sentiu afeto ou cuidou de alguém. Repouse no amor fluindo para dentro e para fora.

RESPONDER OU REAGIR

A vida desafia nossas necessidades o tempo todo. Mas é possível sentir que nossas necessidades foram satisfeitas mesmo quando tomamos passos práticos para superar desafios intensos. Por exemplo, ao fazer escaladas, estive em lugares muito perigosos, equilibrando-me em bordas minúsculas, da largura de um lápis, sob o risco de despencar de uma altura imensa caso escorregasse. Minha necessidade de segurança sem dúvida alguma estava sendo desafiada nessas ocasiões, mas por dentro quase sempre me senti completamente seguro. Eu já fizera muitas escaladas, o que me deixava muito à vontade; eu sabia que estava preso por uma corda e que havia um parceiro competente segurando a outra ponta. Eu estava extremamente alerta, cauteloso e vigilante a grandes ameaças e, no geral, me divertindo como nunca.

Provavelmente você tem seus próprios exemplos de ocasiões em que administrou atividades ou situações muito desafiadoras com calma e até gostou. A vida é turbulenta e imprevisível, repleta de oportunidades maravilhosas que, mesmo assim, exigem muito trabalho, além de perdas e sofrimentos inevitáveis. Não podemos evitar os desafios. A questão é como lidamos com eles. Há uma diferença fundamental entre enfrentar desafios sabendo que nossas necessidades estão sendo plenamente atendidas e enfrentar desafios sentindo que elas *não* estão sendo satisfeitas.

Zona verde, zona vermelha

Quando consideramos que nossas necessidades estão sendo plenamente satisfeitas, temos a sensação de *equilíbrio* e *plenitude*. O corpo e a mente voltam ao seu estado natural de repouso, que chamo de modo responsivo ou "zona verde". O corpo conserva seus recursos, se reabastece, se repara e se recupera do estresse. Na mente, há uma sensação de *paz*, *contentamento* e *amor* – termos amplos e abrangentes, ligados às necessidades de segurança, satisfação e conexão. É o próprio bem-estar incorporado.

Por outro lado, quando sentimos que uma necessidade não está sendo satisfeita, temos a sensação de *privação* e *perturbação*: falta alguma coisa, algo está errado. O corpo e a mente ficam agitados, passando do estado de repouso para o modo reativo, ou "zona vermelha". O corpo se prepara para as reações de luta, fuga ou paralisia, alterando os sistemas imunológico, hormonal, cardiovascular e digestivo. Na mente, há *medo*, *frustração* e *mágoa* – termos abrangentes ligados às necessidades de segurança, satisfação e conexão. Isso caracteriza o estresse, a angústia e a disfunção.

A distinção entre os modos responsivo e reativo é inerentemente vaga. Ainda assim, todos conhecemos a diferença entre se sentir capaz e confiante diante de um desafio e se sentir desconcertado e preocupado. Eis um resumo desses dois modos.

SATISFAÇÃO DE NECESSIDADES

Necessidade	Satisfeita por	Cérebro	Evolução	Responsivo	Reativo
Segurança	Evitação	Tronco cerebral	Répteis	Paz	Medo
Satisfação	Aproximação	Subcórtex	Mamífero	Contentamento	Frustração
Conexão	Apego	Neocórtex	Primata/humano	Amor	Mágoa

É possível sentir que uma necessidade básica não está sendo satisfeita enquanto as outras duas vão bem. Por exemplo, pais podem se sentir emocionalmente desconectados do filho adolescente rebelde, mas, ao mesmo tempo, saber que a segurança física de todos está garantida permite a busca de oportunidades de recompensa em outras áreas. Quando uma necessidade "entra na zona vermelha" enquanto as outras "permanecem na zona verde", as reações ao que não foi satisfeito podem se espalhar e contaminar outras necessidades. Nesse exemplo, os pais podem começar a ficar ansiosos em relação à segurança do adolescente e frustrados em relação à meta de fazer o filho terminar o ensino médio. Por outro lado, sentir que possuímos recursos em outras áreas ajuda a tratar de uma necessidade específica cuja luzinha vermelha esteja piscando. Os pais neste exemplo poderiam aproveitar a noção de seu compromisso com a segurança do adolescente e o conhecimento de que há formas eficazes de satisfazer as exigências do ensino médio. Às vezes, o máximo que podemos fazer é preservar dentro de nós um pequenino refúgio verde, mantendo-o calmo e forte enquanto todo o resto está transtornado. Mas esse pequeno santuário faz uma grande diferença e, com o tempo, você aos poucos poderá sair dele para acalmar e cuidar do restante da mente.

Os modos responsivo e reativo não são apenas o resultado da experiência de que nossas necessidades estão sendo atendidas ou não. Eles também são *maneiras* diferentes de satisfazer nossas necessidades. Vou pegar emprestado um exemplo de Robert Sapolsky no livro *Por que as zebras não têm úlceras*. Imagine que você é uma zebra numa grande manada na África. Você está pastando, de olho nos leões, mas mantendo a calma, interagindo com as outras zebras e se divertindo enquanto satisfaz suas necessidades no modo responsivo. De repente alguns leões atacam e a manada altera seu comportamento para o modo reativo, numa explosão de pânico que cessa rapidamente... de um jeito ou de outro. Então você e as outras zebras voltam ao modo responsivo de levar a vida na savana.

Em suma, este é o plano da Mãe Natureza: longos períodos de gerenciamento de necessidades em modo responsivo marcados por picos ocasionais de estresse do modo reativo *quando necessário*, seguidos pela rápida recuperação de volta à zona verde. O modo responsivo é agradável porque *é* bom: o corpo está protegido e abastecido, a mente tranquila e contente. Por outro lado, o modo reativo é desagradável porque *é* ruim, principalmente a longo prazo: o corpo fica perturbado e esgotado, a mente é tomada por ansiedade, irritação, decepção, mágoa e ressentimento.

O modo reativo acaba com a gente, enquanto o responsivo nos reconstrói. Sem dúvida, a adversidade é uma oportunidade para desenvolver resiliência, *resistência ao estresse* e até *crescimento pós-traumático*. No entanto, para crescer com a adversidade, é preciso que também haja recursos responsivos, como determinação e um senso de propósito. Além disso, a maioria das oportunidades para vivenciar e desenvolver recursos mentais no dia a dia não envolve adversidade: há simplesmente um momento de relaxamento, gratidão, entusiasmo, autoestima ou bondade. Enquanto isso, momentos de medo, frustração ou mágoa são, em boa parte, simplesmente desagradáveis e estressantes, não nos trazendo qualquer benefício. A adversidade deve ser enfrentada e usada para que possamos aprender, mas às vezes seu valor é superestimado. Em termos gerais, as experiências reativas nos deixam mais frágeis e instáveis com o tempo, enquanto as responsivas tendem a nos tornar mais resilientes.

O modo reativo evoluiu como solução rápida para ameaças diretas à sobrevivência – não como estilo de vida. Infelizmente, embora não estejamos mais fugindo de tigres, o estresse moderno, resultante da pressa e da exigência de fazer muitas coisas ao mesmo tempo, está nos empurrando para a zona vermelha. Então se torna difícil sair, devido ao que os pesquisadores chamam de *viés da negatividade* do cérebro.

O viés da negatividade

Nossos ancestrais precisavam ganhar recompensas, entre elas alimento e sexo, e fugir de ameaças, como predadores e agressões de outros bandos ou de outros membros do próprio grupo. Ambas as coisas são importantes, mas o perigo costuma ter mais urgência e maior impacto na sobrevivência.

Como consequência disso, de forma natural e rotineira, o cérebro:

1. Procura más notícias tanto no mundo lá fora quanto dentro do corpo e da mente.
2. Concentra-se nelas e perde de vista o quadro mais amplo.

3. Reage exageradamente a elas.
4. Transforma a experiência rapidamente em memória social, somática e emocional.
5. É sensibilizado por doses repetidas de cortisol, o hormônio do estresse, tornando-se ainda mais reativo a experiências negativas – que banham o cérebro com ainda mais cortisol, criando um ciclo vicioso.

Na verdade, nosso cérebro é como velcro para as más experiências e teflon para as boas. Por exemplo, se lhe acontecerem dez coisas no trabalho ou num relacionamento e nove forem positivas enquanto uma for negativa, sobre qual você vai pensar mais? Provavelmente na negativa. Experiências agradáveis, úteis e benéficas acontecem muitas vezes por dia – apreciar uma xícara de café, terminar alguma tarefa em casa ou no trabalho, aconchegar-se na cama com um bom livro à noite –, mas, em geral, elas passam pelo cérebro como água pela peneira, enquanto cada experiência estressante ou prejudicial fica presa. Somos projetados para aprender mais com as experiências ruins e menos com as boas. Ao longo de milhões de anos de evolução, o viés da negatividade fez sentido para a sobrevivência, mas hoje ele é uma espécie de dificuldade de aprendizado universal num cérebro projetado para desempenho máximo sob as condições da Idade da Pedra.

O efeito desse viés piora com a evolução recente das redes neurais na região medial do córtex, que permitem a *viagem mental no tempo*: refletir sobre o passado e planejar o futuro. Essas redes também permitem a *ruminação negativa*. Ao contrário de nossos primos animais, que aprendem com os perigos, mas não ficam obcecados com eles, tendemos a remoer preocupações, ressentimentos e autocríticas: "Tantas coisas podem dar errado...", "Como ousam me tratar assim?", "Sou mesmo um idiota!". Os pensamentos e sentimentos que temos enquanto refletimos mudam o cérebro, assim como as outras experiências negativas. Passar repetidamente por esses circuitos é como correr em círculos na terra fofa, deixando sulcos cada vez mais profundos na trilha – o que torna mais fácil cair em novas ponderações negativas no futuro.

VOLTAR PARA CASA, FICAR EM CASA

Para resumir, não temos opção quanto às nossas três necessidades básicas nem quanto à forma como os estágios reptiliano-mamífero-primata da evolução moldaram nosso cérebro. Só podemos escolher *como* as satisfazer: a partir da zona verde ou a partir da zona vermelha, com uma sensação inerente de paz, contentamento e amor ou com uma sensação de medo, frustração e mágoa.

O modo responsivo é nossa casa, um equilíbrio saudável de corpo e mente. Ele é a essência do bem-estar e a base da manutenção da resiliência. Entretanto, somos facilmente levados dessa casa para a zona vermelha, e é comum ficarmos presos lá devido ao viés da negatividade e à reflexão negativa, como se, por dentro, fôssemos um sem-teto crônico.

Não é culpa nossa sermos assim. É nosso dom biológico, uma espécie de dádiva da Mãe Natureza. Mas podemos fazer muito em relação a isso.

Saia da zona vermelha

Às vezes é necessário enfrentar desafios no modo reativo. Talvez você tenha de desviar de um carro que vem em sua direção ou falar grosso com alguém que está ficando agressivo demais. Os seres humanos são resistentes, e podemos tolerar algumas viagens à zona vermelha. Mas saia dela assim que puder. As três maneiras de engajar a mente oferecem uma boa receita para isso.

Deixe estar

Tenha consciência de quando estiver começando a se sentir pressionado, inquieto, exasperado, frustrado, estressado ou irritado. Permaneça presente na experiência e explore suas diversas partes. Defina-as para si mesmo: *tenso... preocupado... incomodado... triste.* Isso aumentará a atividade no córtex pré-frontal (a parte do cérebro atrás da testa), que ajudará com o autocontrole de cima para baixo. Dizer a si mesmo o que está sentindo também reduzirá a atividade na amígdala, que funciona como o alarme do cérebro, e vai ajudá-lo a se acalmar.

Explore o que pode haver de vulnerável e sensível mais fundo, como os sentimentos de tristeza por ter sido aquele aluno que ficava isolado do resto da turma na escola ou a mágoa encoberta pela explosão de raiva ao não ser incluído numa reunião de trabalho. Simplesmente permaneça com o que está fluindo pela consciência, sem ficar reformulando nem elaborar uma justificativa moralmente justa para as questões. Afaste-se das reações da zona vermelha e observe-as, como se saísse da tela de um filme e recuasse vinte filas de cadeiras no cinema para começar a assistir.

Deixe ir

Passe para a etapa de deixar ir. Entenda que os pensamentos e sentimentos reativos geralmente não fazem bem – nem a você nem aos outros. Decida se quer se agarrar a esses pensamentos e sentimentos ou se quer liberá-los. Solte o ar devagar e relaxe o corpo. Deixe os sentimentos fluírem. Se achar conveniente, chore, grite, queixe-se com um amigo solidário ou simplesmente sinta a ansiedade, irritação e mágoa se esvaindo de você. Veja com ceticismo as suposições, expectativas ou crenças que o deixaram preocupado, estressado, frustrado ou zangado. Considere os significados que deu às situações ou o modo como interpretou as intenções dos outros e deixe ir tudo o que for inverídico, desnecessariamente alarmista ou mal-intencionado. Esteja consciente da sensação de sair do modo reativo.

Deixe entrar

Comece a deixar entrar tudo que o ajuda a sentir que suas necessidades estão sendo satisfeitas. Identifique uma sensação íntima de determinação e capacidade. Ofereça algum prazer a si mesmo: lave as mãos em água morna, coma uma maçã ou escute música. O prazer libera opioides naturais que tranquilizam e acalmam o mecanismo de estresse do cérebro. Pense em coisas pelas quais se sente grato ou contente, coisas que provocam um pequeno sorriso. Entre em contato com alguém de quem goste, seja diretamente, seja pela imaginação. Sinta-se bem cuidado; reconheça também seu próprio coração acolhedor. Identifique pensamentos ou pontos de vista que sejam precisos, úteis e sábios. Esteja consciente da sensação de entrar no modo responsivo.

Desenvolva recursos responsivos

A maioria das pessoas experimenta o modo responsivo muitas vezes por dia, mas geralmente passa batido por ele, antes que seja assimilado. Assim, procure oportunidades para sentir que suas necessidades estão sendo atendidas. Por exemplo, ao inspirar, note que há ar suficiente para respirar. Pelo menos neste momento, você está em segurança. Quando terminar alguma tarefa (quando tiver enviado um e-mail, escovado o cabelo da filha, enchido o tanque de gasolina), permaneça com a sensação de satisfação. Quando alguém lhe sorrir ou você se lembrar de uma pessoa amada, continue se sentindo conectado. Esteja consciente das experiências da zona verde, valorize-as e permaneça com elas. Deixe que entrem em você e dedique alguns segundos para ajudá-las a construir seu caminho até o cérebro.

Dessa maneira você desenvolverá a plenitude e o equilíbrio que são a base do modo responsivo e também reduzirá aos poucos a sensação de privação e perturbação que desencadeia o modo reativo. Internalizar as experiências da zona verde desenvolve um núcleo de potencialidades interiores. Num ciclo positivo, isso promove mais experiências do modo responsivo e, portanto, mais oportunidades de cultivar recursos interiores. Você conseguirá então lidar com desafios cada vez maiores, mantendo-se na zona verde por dentro mesmo quando a luz vermelha do mundo estiver piscando, e conservando um bem-estar profundo e resiliente que nada conseguirá penetrar e destruir.

Quando enfrentar um desafio, tenha consciência de qual necessidade específica – segurança, satisfação ou conexão – está em jogo. Recorra deliberadamente às suas potencialidades interiores ligadas à satisfação dessas necessidades específicas. Nas páginas seguintes mostrarei várias maneiras de fazer isso. Então, enquanto perceber os recursos mentais, reforce-os em seu sistema nervoso.

Já velejei muito e certa vez virei um barco que não tinha quilha. Se a mente fosse como um veleiro, cultivar recursos interiores seria como fortalecer e alongar a quilha. Você conseguirá viver com mais ousadia assim, confiando que poderá explorar e apreciar as águas mais profundas da vida, administrando as tempestades que encontrar.

PONTOS-CHAVE

- Seu cérebro é moldado pelas suas experiências, que são moldadas por aquilo a que você volta a sua atenção. Com a atenção plena, você pode repousar sua atenção em experiências de recursos psicológicos, como compaixão e gratidão, inscrevendo-os em seu sistema nervoso.
- Há três maneiras principais de se relacionar com a mente e engajá-la de forma útil: estar com ela, diminuir o que é doloroso e prejudicial e aumentar o que é agradável e benéfico.
- Temos três necessidades básicas – segurança, satisfação e conexão –, que administramos evitando o que nos faz mal, nos aproximando de recompensas e nos apegando às outras pessoas. Essas necessidades e o modo de satisfazê-las têm certa relação, respectivamente, com o tronco cerebral reptiliano, o subcórtex mamífero e o neocórtex primata/humano.
- O bem-estar surge quando nossas necessidades são atendidas, não negadas. Quando sentimos que nossas necessidades estão satisfeitas o bastante, o corpo e a mente entram no modo responsivo da "zona verde" e temos uma sensação de paz, contentamento e amor. Quando as necessidades parecem não ser atendidas, ficamos perturbados, passamos ao modo reativo de luta-fuga-paralisia da "zona vermelha" e experimentamos medo, frustração e mágoa.
- O modo responsivo é nossa casa, mas é fácil nos tirar dela; tendemos a ficar presos na zona vermelha devido ao viés da negatividade do cérebro, que funciona como velcro para as experiências ruins e teflon para as boas.

- Para permanecer na zona verde, assimile as experiências de satisfação de suas necessidades, que cultivarão recursos interiores. Assim você poderá enfrentar desafios cada vez maiores conservando um bem-estar resiliente.

CAPÍTULO 3

APRENDIZADO

Não penses no bem com indiferença nem digas "Isso não me acontecerá". Gota a gota, a moringa se enche. Do mesmo modo, o sábio, que o recolhe pouco a pouco, enche-se de bem.

DARMAPADA

Quando vamos partir para uma longa caminhada, precisamos levar comida e outros suprimentos. Do mesmo modo, na estrada da vida precisamos de suprimentos psicológicos como compaixão e coragem. Como colocá-los *dentro* da "mochila" neurológica?

A CURVA DE CRESCIMENTO

Fazemos isso com o *aprendizado*, termo amplo que vai muito além de decorar tabuada. Qualquer mudança duradoura de humor, ponto de vista ou comportamento exige aprendizado. Desde a infância, aprendemos a cultivar bons hábitos, potencialidades de caráter e habilidades sociais. A cura, a recuperação e o desenvolvimento também são formas de aprendizado. Cerca de um terço de nossos atributos está inscrito em nosso DNA, enquanto os outros dois terços são adquiridos. Essa é uma ótima notícia, pois significa que temos muita influência sobre quem nos tornamos, quem aprendemos a ser. Suponha que você quisesse ser mais calmo, sábio, feliz e resiliente.

Como li muitas histórias em quadrinhos quando garoto, penso nessas potencialidades interiores como superpoderes. O aprendizado é o maior dos superpoderes, pois é o que cultiva os outros. Se quiser incrementar sua curva de crescimento na vida, vale a pena aprender sobre o aprendizado.

Como o aprendizado acontece

Qualquer tipo de aprendizado envolve uma mudança na função ou na estrutura neural. Essa mudança ocorre em dois estágios, que chamo de *ativação* e *instalação*. No primeiro estágio (ativação) há uma experiência, como se sentir querido. Todas as experiências – pensamentos, sensações, devaneios, preocupações e tudo mais que passa pela consciência – têm como base processos neurais subjacentes. Uma experiência específica é um estado específico de atividade mental/neural. Já no segundo estágio (instalação) essa experiência se consolida gradualmente no armazenamento de longo prazo do cérebro. Com o tempo, estados passageiros se instalam como traços permanentes (estou usando o termo "traço" com sentido amplo).

Há um ditado na ciência do cérebro, baseado na obra de Donald Hebb, que diz: "Neurônios que disparam juntos permanecem juntos, conectados." Quanto mais disparam juntos, mais eles se interligam. Em essência, desenvolvemos recursos psicológicos ao experimentá-los contínua e repetidamente até que se tornem mudanças permanentes no cérebro. Nós nos tornamos mais agradecidos, confiantes ou determinados quando instalamos repetidamente experiências de gratidão, confiança ou determinação. Do mesmo modo, nos centramos cada vez mais na zona verde, responsiva – com a sensação interior de paz, contentamento e amor –, vivendo e internalizando muitas experiências de segurança, satisfação e conexão.

A essência da autossuficiência

Este é o "passo a passo" fundamental da cura, do treinamento e do crescimento pessoal. Você pode aplicá-lo para desenvolver habilidades interpessoais, motivação, paz de espírito ou qualquer outra coisa que quiser ter dentro de si. Essa é a essência da autossuficiência. Até mesmo as situações, as ocupações e os relacionamentos mais gratificantes podem mudar. Mais cedo ou mais tarde, de um jeito ou de outro, tudo pode desmoronar, mas o que você tiver dentro de si estará para sempre com você. Assim como não se pode desaprender a andar de bicicleta, você não desaprenderá as potencialidades interiores que cultivar com o tempo. E quanto mais difícil for sua vida e quanto menos apoio receber de fontes externas, mais importante será procurar essas pequenas oportunidades diárias de destacar uma experiência útil ou agradável e conscientemente internalizá-la.

É uma pena que esse processo de internalização deliberada de experiências benéficas raramente seja ensinado. Escolas, empresas e outros locais de formação promovem diversos tipos de treinamento, mas em geral não ensinam *como* aprender. Quando *aprende a aprender*, você ganha a potencialidade que desenvolve as outras potencialidades do bem-estar resiliente.

SARE a si mesmo

Você pode guiar os processos de construção de estruturas do cérebro em quatro passos, que resumo com o acrônimo SARE:

Ativação

1. **Selecione** uma experiência benéfica: perceba-a ou crie uma.

Instalação

2. **Amplifique-a:** permaneça com ela, vivendo-a plenamente.
3. **Receba-a:** traga-a para dentro de si.
4. **Estabeleça ligações** (opcional): use-a para aliviar ou substituir algum tipo de material psicológico doloroso e prejudicial.

O primeiro passo do SARE é a fase de ativação do aprendizado. Você parte de algum tipo de experiência útil ou agradável. Os outros três passos estão na fase de instalação, na qual tem início o processo de transformação daquela experiência benéfica numa mudança duradoura do cérebro. O quarto passo, *Estabeleça ligações*, consiste em tomar consciência tanto do material positivo quanto do negativo. É opcional por duas razões: os três primeiros passos já são suficientes para o aprendizado e às vezes as pessoas não estão prontas para entrar em contato com seu material negativo.

No restante deste capítulo, vamos explorar com detalhes os passos do SARE, e inclusive descobrir como ter experiências benéficas com mais frequência e imbuí-las de valor duradouro. Vou lhe mostrar como identificar e cultivar as potencialidades mais importantes e você verá como usar o passo *Estabeleça ligações* para aliviar e até eliminar pensamentos, sentimentos e comportamentos difíceis, irritantes ou limitadores – mesmo que tenham origem na infância.

ESTIMULE EXPERIÊNCIAS BENÉFICAS

Pergunte a si mesmo o que se destaca num dia típico. O carro que fechou você no trânsito, o prato que quebrou, o projeto frustrante no trabalho? Ou o prazer de tomar um bom café da manhã, a sensação de determinação ao progredir numa tarefa difícil, a beleza do pôr do sol? Pense em seus relacionamentos. O que lhe chama a atenção quando você interage com os outros: as muitas coisas que vão bem ou a única palavra que o magoou?

Se você for como a maioria, são as coisas negativas que se destacam. Devido ao viés da negatividade do cérebro, as experiências dolorosas e prejudiciais assumem posição de destaque na consciência, enquanto as agradáveis e úteis se perdem ao fundo. Isso pode trazer benefícios de curto prazo em condições difíceis, mas ao longo do tempo causa muito desgaste ao corpo e à mente. Efetivamente, o cérebro está voltado para a sobrevivência em detrimento da saúde e do bem-estar a longo prazo. Ao se voltar para as experiências positivas, você apenas nivela o campo de jogo. Não se trata de ver a vida em cor-de-rosa nem de fechar os olhos para os problemas. É mais um pragmatismo teimoso, baseado no reconhecimento de que muitas vezes a vida é difícil, de que você precisa de recursos mentais para lidar com ela e de que pode desenvolver essas potencialidades interiores guiando o processo de aprendizado do cérebro.

Esse processo começa com você *experimentando* o bem que quer cultivar dentro de si. Há duas maneiras de ter experiências benéficas. Você pode simplesmente *perceber* e se concentrar numa experiência que já está acontecendo. Ou pode deliberadamente *criar* uma, como evocar um sentimento de autocompaixão ou sentar-se para meditar. Vamos examinar cada uma delas.

Veja as pedras preciosas à sua volta

Quase todo mundo tem muitas experiências positivas todos os dias, em sua maioria pequenas e rápidas. Por exemplo, é gostoso beber água quando temos sede ou vestir um agasalho ao sentir frio. É raro passar o dia sem ter um momento de afeição com pelo menos uma pessoa. Você observa essas experiências e as destaca em sua consciência? Ou passa por elas e simplesmente segue em frente para a próxima situação?

Cada dia é como um caminho cravejado de muitas pedrinhas preciosas: as pequenas experiências benéficas e ordinárias da vida. É fácil não reparar e pisar nelas. Mas aí chegamos ao fim do dia e nos perguntamos: "Por que não me sinto mais rico por dentro?" "Por que me sinto vazio por dentro?"

As pedras preciosas já estão lá. Por que não recolher algumas? Se uma experiência é agradável, ela geralmente *faz bem* para você e, muitas vezes, para os outros também. Não desdenhe das experiências agradáveis como triviais e irrelevantes nem pense que as desgastantes, cansativas e estressantes são, de alguma maneira, a base para uma vida boa. É o contrário: as experiências positivas nos preenchem, enquanto as negativas nos esgotam. Claro que alguns prazeres acabam fazendo mal depois de um tempo, como o excesso de doces, e, em parte, alguns recursos psicológicos são cultivados por meio de experiências desagradáveis. Você pode fortalecer sua bússola moral com um tanto de culpa e remorso, por exemplo. Mas, em termos gerais, se algo é agradável isso é sinal de que ali está uma pedra preciosa que vale a pena recolher.

Nossas experiências são construídas a partir de cinco elementos, e cada um deles é um tipo de pedra preciosa que você pode urdir no tecido do seu cérebro e da sua vida. Esses elementos são *pensamentos* (p.ex. crenças, imagens), *percepções* (p.ex. sensações, sons), *emoções* (p.ex. sentimentos, estados de espírito), *desejos* (p.ex. valores, intenções) e *ações* (p.ex. posturas, expressões faciais, movimentos ou comportamentos). Por exemplo, numa experiência de gratidão, pode haver um pensamento sobre algo que um amigo lhe deu, uma percepção do relaxamento, uma emoção de alegria, um desejo de exprimir gratidão e uma ação de escrever um bilhete de agradecimento.

Enquanto você usufrui uma experiência benéfica, outras coisas podem estar na consciência também. Suas costas podem estar doendo enquanto você acaricia o gato em seu colo. Mas essa percepção não neutraliza a experiência benéfica. Ambas são verdadeiras: a negativa e a positiva, a amarga e a doce. Você pode deixar a ruim estar e ao mesmo tempo deixar a boa entrar.

Isso não é pensamento positivo. É pensamento *realista*: ver a figura completa do mosaico do mundo ao seu redor e a complexidade da experiência, apesar da tendência do cérebro de se fixar nos azulejos ruins e deixar de lado as pedras preciosas.

Crie você mesmo as pedras preciosas

Notar pensamentos, percepções, emoções, desejos e ações agradáveis ou úteis que já estejam ocorrendo é a principal maneira de ter uma experiência benéfica. A experiência já está aqui, é autêntica e real. Por que não ganhar algo com ela?

No entanto, você também pode *criar* experiências benéficas, como ao fazer exercícios ou pensar em alguém que gosta de você, por exemplo. Há várias maneiras de criar esse tipo de experiência.

Em primeiro lugar, *procure* fatos agradáveis. São eles que sustentam seu bem-estar – e, muitas vezes, o dos outros. Você pode encontrá-los em vários lugares, inclusive na sua situação atual, em acontecimentos recentes, nas condições de sempre, no passado e na vida dos outros. Também é possível encontrar fatos bons dentro de você; considere seus talentos, suas habilidades e boas intenções. Você pode encontrá-los mesmo em épocas difíceis, como ao perceber a bondade dos outros quando sofre uma perda. Em segundo lugar, *produza* fatos bons com suas ações. Por exemplo, você pode fazer algo tão simples quanto mudar de posição na cadeira para se sentir mais confortável. Ou dar atenção especial a alguém para melhorar seu relacionamento.

Fatos são fatos, e você pode contar com eles. Não estará inventando nada. Quando achar um fato bom, transforme o reconhecimento dessa verdade numa experiência incorporada. Saiba que o fato realmente é verdadeiro; dê a si mesmo certa convicção em relação a isso e acredite nela. Tenha consciência de suas sensações ao reconhecer isso, como uma suavização e uma abertura no corpo. Identifique seus sentimentos e permita que a experiência seja emocionalmente rica. Para uma experiência ampliada, use a prática no quadro a seguir.

Em terceiro lugar, *evoque* diretamente uma experiência positiva, relaxando ativamente, recordando um senso de determinação ou deixando de lado um ressentimento. Devido à neuroplasticidade dependente da experiência, ter uma experiência específica do passado e internalizá-la repetidamente faz com que seja cada vez mais fácil evocá-la no presente. É como ser capaz de apertar um botão na vitrola automática interior e ouvir a canção da experiência útil tocando na sua mente porque você a gravou várias e várias vezes.

Ao perceber ou criar uma experiência, cada dia se mostra pleno de oportunidades para pensamentos, emoções, percepções e desejos benéficos. Saber que isso é verdade já é, em si, uma boa experiência!

CRIANDO UMA EXPERIÊNCIA BENÉFICA

Esta prática se concentra na alegria, mas você pode aplicar o método a qualquer experiência que gostaria de criar para si.

Pense em alguma coisa – um fato – que o deixa alegre. Pode ser pequena ou grande, do presente ou do passado. Pode ser um objeto, um acontecimento, uma situação atual, um relacionamento, um ser espiritual ou o universo inteiro.

Tome consciência de seu corpo e se abra para a alegria, a gratidão, o conforto, a felicidade. Pode haver um alívio da tensão, uma liberação do estresse ou da decepção.

Explore os diversos elementos da experiência. Tenha consciência de pensamentos como "sou uma pessoa de sorte", de percepções, principalmente sensações corporais, de emoções, como contentamento ou calma, de desejos, talvez de dizer obrigado, e de ações, como um sorriso suave.

Pense em outras coisas que o deixam alegre. Ajude o conhecimento delas a se tornar uma rica experiência usando a técnica que acabei de descrever.

EXPERIÊNCIAS DE AJUDA TÊM VALOR DURADOURO

Quando uma música boa estiver tocando na sua mente, ligue o gravador e guarde-a dentro do cérebro. Senão, ela terá pouco ou nenhum valor a longo prazo.

Às vezes há algum aprendizado incidental com pensamentos e sentimentos passageiros, mas a maioria das experiências benéficas que as pessoas têm no decorrer do dia não faz diferença alguma. Não há nelas alteração de ponto de vista, mudança de opinião ou aquisição de recursos interiores.

O mesmo acontece na psicoterapia, no treinamento e nos programas de recursos humanos. Com muito tempo de carreira como terapeuta, é angustiante e humilhante saber que a maior parte das experiências duramente conquistadas pelos clientes em meu consultório não os levou a nenhuma mudança para melhor. A culpa foi minha, não deles. Acho que, em geral, os profissionais são eficientes em *ativar* vários estados de espírito, mas falham em *instalá-los* como características benéficas no cérebro. Em consequência disso, a maior oportunidade não é buscar maneiras ainda melhores de nossos clientes, pacientes ou alunos terem experiências úteis, mas aumentar a eficiência na conversão das experiências que eles já têm em mudanças duradouras na estrutura e na função neurais.

Quer faça isso por si, quer ajude outra pessoa, a essência da instalação é simples: *amplifique* a experiência e *receba-a*. Na mente, amplificar uma experiência significa mantê-la em andamento e senti-la por inteiro, enquanto receber é como assimilá-la interiormente. Em seu cérebro, amplificar é uma questão de intensificar um padrão específico de atividade mental/neural, enquanto receber envolve preparar, sensibilizar e aumentar a eficiência da máquina de criação de lembranças do cérebro.

A princípio, esse processo pode parecer abstrato, mas é natural e instintivo, e todos sabemos fazer. Todo mundo já teve experiências que exigiram uma desaceleração para serem recebidas interiormente. Na prática, esse processo costuma ser muito rápido e dura uma ou duas respirações; os aspectos de amplificar e receber se fundem. Mas, quando aprendemos algo novo – inclusive quando aprendemos a aprender –, é útil desmontar as peças e se concentrar em uma de cada vez. Então, no fluxo do dia, elas voltarão a se encaixar à medida que você assimilar o que é bom todas as vezes que quiser.

Amplificando uma experiência

Há cinco maneiras de enriquecer uma experiência:

1. **Prolongue-a.** Permaneça com ela por cinco, dez ou mais segundos. Quanto mais tempo aqueles neurônios dispararem juntos, mais tenderão a se interligar. Proteja a experiência de distrações, concentre-se nela e recupere o foco caso sua mente se afaste.
2. **Intensifique-a.** Abra-se para ela e deixe-a crescer na mente. "Aumente o volume", por assim dizer, respirando mais fundo ou ficando um pouco entusiasmado.
3. **Expanda-a.** Observe outros elementos da experiência. Por exemplo, se tiver um pensamento útil, procure sensações ou emoções relacionadas.
4. **Renove-a.** O cérebro é um detector de novidades, projetado para aprender com tudo que é novo ou inesperado. Portanto, procure o que há de interessante ou diferente na experiência. Imagine que está acontecendo pela primeira vez.
5. **Valorize-a.** Aprendemos com o que nos é pessoalmente relevante.

Entenda por que a experiência é importante para você, por que faz sentido e como pode ajudá-lo.

Qualquer um desses métodos aumentará o impacto da experiência, e quanto maior, melhor. Contudo você não tem de usar todos eles o tempo todo. Em geral, basta permanecer um pouco com a experiência e senti-la no corpo; depois, passe para a seguinte.

Recebendo uma experiência

Você pode aumentar a absorção de uma experiência de três maneiras:

1. **Queira recebê-la.** Escolha conscientemente assimilar a experiência.
2. **Sinta-a se integrar em você.** Imagine que a experiência é como um bálsamo quentinho e calmante ou uma pedra preciosa colocada no cofre de seu coração. Entregue-se a ela, permitindo que se torne parte de você.
3. **Recompense-se.** Identifique tudo que for agradável, tranquilizador, útil ou auspicioso na experiência. Isso tenderá a aumentar a atividade de dois sistemas neurotransmissores, o da dopamina e o da norepinefrina, que marcarão a experiência como algo que vale a pena guardar a longo prazo.

Os três primeiros passos do SARE – selecionar uma experiência benéfica, amplificá-la e recebê-la – são a essência do aprendizado. Usando o fogo como metáfora, esses passos são como encontrá-lo ou acendê-lo, protegê-lo, alimentá-lo e absorver seu calor no corpo. Você pode usá-los instantaneamente, várias vezes por dia, dez segundos aqui, meio minuto ali. Também pode reservar alguns minutos ou mais para se concentrar numa experiência específica, como na prática a seguir.

Isso não significa se agarrar teimosamente às experiências. O fluxo da consciência muda o tempo todo. Tentar se agarrar a qualquer coisa é doloroso e está fadado ao fracasso. Mas você *pode* estimular delicadamente o que é benéfico a surgir, permanecer e se instalar – mesmo à medida que o deixa ir. A felicidade é como um belo animal selvagem que observa da entrada da floresta. Se tentar agarrá-lo, ele fugirá, mas se ficar sentado junto à sua fogueira e lhe acrescentar alguns gravetos, ele se aproximará de você e ficará ao seu lado.

AMPLIFICANDO E RECEBENDO O AFETO

Traga à mente alguém com quem você naturalmente se importa: um amigo, um filho, seu companheiro, um animal de estimação. Estimule dentro de si os sentimentos de afeição, amizade, apreciação, compaixão ou amor.

Assim que tiver a experiência de sentir afeto, comece a amplificá-la. Prolongue-a afastando as distrações e volte a ela caso sua mente comece a divagar; faça com que permaneça respiração a respiração. Abra-se a essa experiência, deixe que ela o preencha e se torne mais intensa. Faça-a se expandir explorando diferentes aspectos da sensação de afeto: pensamentos, sensações, emoções, desejos, ações (como pôr a mão no coração). Tenha uma atitude de curiosidade para ajudar a experiência a permanecer fresca e viva. Considere que a sensação de afeto pode ser importante, relevante e valiosa para você.

Então concentre-se em recebê-la. Tenha a intenção de assimilar essa experiência. Perceba os sentimentos calorosos se espalhando por dentro, tornando-se parte de quem você é. Procure tudo que há de prazeroso em sentir afeto: como é agradável, como abre o coração, como é gratificante. Entregue-se ao afeto à medida que ele se integra em você.

CULTIVE AS POTENCIALIDADES DE QUE VOCÊ MAIS PRECISA

Meus pais eram amorosos, trabalhavam muito e faziam o melhor possível, mas mesmo assim, por várias razões, entre elas minha introversão, nunca senti muita empatia da parte deles. As crianças precisam de uma "sopa" rica de empatia dos pais, mas o que recebi foi mais um caldo ralo. O fato de eu ser mais jovem do que os meus colegas de turma por ter nascido no fim do ano e pulado uma série e meu jeito nerd levaram a muitas situações em que fui ignorado ou rejeitado na escola. Minhas necessidades de segurança e satisfação haviam sido bem atendidas, mas não a necessidade de conexão. Muitas pequenas coisas foram se acumulando ao longo do tempo, e, quando saí de casa para ir para a faculdade, era como se houvesse um grande buraco em meu coração – um lugar vazio e dolorido lá dentro.

Eu não sabia o que fazer com aquilo. Tentei ser cauteloso e determinado, o que me ajudou a me sentir seguro, mas nada preenchia aquele buraco. Eu me diverti na faculdade e tirei boas notas – atendendo à necessidade de satisfação –, mas isso também me deixava oco por dentro. Era como se minha necessidade insatisfeita de conexão fosse escorbuto por falta de vitamina C. Se eu tomasse vitamina A e vitamina B, que também são importantes, eu continuaria sem o nutriente que me faltava.

Então, na metade do meu primeiro ano, tudo mudou quando comecei a notar, sentir e assimilar *suprimentos sociais* – como um grupo me chamando para comer com eles ou alguém sendo gentil no caminho até a sala de aula. Era disso que eu precisava; essa era minha vitamina C. Pouco a pouco, a cada dia, diversas pequenas experiências preencheram gradualmente aquele buraco em meu coração.

Qual é sua vitamina C?

Encontre seus principais recursos

As três necessidades básicas constituem um arcabouço para identificar seus recursos interiores mais importantes. Quando você sabe quais eles são, costuma poder encontrar todo dia oportunidades para vivenciá-los e cultivá-los.

Esclareça o desafio

Como um médico perguntaria: Onde dói?

Talvez você esteja enfrentando um desafio externo, como um conflito interpessoal, um emprego estressante ou um problema de saúde; ou talvez esteja enfrentando um desafio interno, como uma autocrítica implacável ou a sensação de ser indesejado. Às vezes, há desafios dos dois tipos. Por exemplo, uma tensão com alguém pode despertar a autocrítica dentro de você.

Escolha um desafio e então considere quais são as necessidades em jogo, em termos de segurança, satisfação e conexão. Pode haver mais de uma necessidade envolvida, mas em geral uma se destaca. Dor e uma sensação de ameaça ou paralisia, geralmente acompanhadas de sentimentos de ansiedade, raiva ou impotência, são pistas de que a *segurança* está em risco. Dificuldades para alcançar metas, fracasso, perda de patrimônio ou uma vida de poucos prazeres, talvez acompanhados de uma sensação de desapontamento, frustração ou tédio, indicam que a *satisfação* precisa de cuidados. Conflitos com outras pessoas, rejeição, sensação de perda ou desvalorização, muitas vezes acompanhados por sentimentos de solidão, mágoa, ressentimento, inveja, inadequação ou vergonha, marcam a necessidade de *conexão*. Se você tem a tendência a deixar de lado uma necessidade específica – como conexão, por exemplo, culpando a si mesmo quando o maltratam –, é exatamente essa necessidade que precisa ter certeza de não estar negligenciando.

Identifique os recursos que poderiam ajudar

Uma necessidade específica é mais bem atendida por potencialidades interiores que *combinem* com ela. Se o tanque do carro estiver vazio, a solução é gasolina, não um estepe. A seguir apresentaremos os principais recursos mentais para as necessidades básicas e examinaremos cada um deles:

- **Segurança:** estar a seu favor, determinação, garra, capacidade de ação, sentir-se protegido, clareza em relação a ameaças, sentir-se bem no momento, calma, relaxamento, paz.
- **Satisfação:** gratidão, alegria, prazer, realização, clareza sobre metas, entusiasmo, paixão, motivação, aspiração, sensação de já ser ou ter o suficiente, contentamento.
- **Conexão:** compaixão pelos outros e por si, empatia, bondade, amor-próprio, assertividade, perdão, generosidade, amor.

Quando sentimos frio e precisamos nos aquecer, qualquer tipo de casaco serve. Do mesmo modo, qualquer um dos recursos mencionados ajuda a satisfazer a necessidade à qual está ligado. Geralmente é melhor abordar um desafio com uma combinação de potencialidades interiores. Apesar disso, encontrar o recurso exato que atenderá a um desafio específico pode ser útil. Por exemplo, fui uma criança miúda na escola e costumava ficar por último quando se escolhiam os times nas aulas de educação física. Esses antigos sentimentos de vergonha e fraqueza foram curados especificamente pelas diversas experiências de competência e tenacidade no alto das montanhas.

Ao pensar num grande desafio e na(s) necessidade(s) que estão em seu cerne, veja se algum dos recursos listados anteriormente se destaca.

Pergunte a si mesmo:

- O que, se estivesse mais presente em minha mente por esses dias, seria útil?
- Que potencialidades interiores me ajudariam a permanecer no modo responsivo enquanto enfrento esse desafio?
- Se o desafio começou no passado, o que teria sido realmente útil vivenciar naquela época?
- No fundo, qual é a experiência pela qual ainda anseio tanto?

A resposta a essas perguntas indica um recurso básico, sua vitamina C. E não se esqueça de que o amor é multivitamínico, o remédio universal. O amor nos ajuda a nos sentirmos seguros, quer como a criança assustada que recebe um abraço, quer como o adulto que caminha com um amigo por um estacionamento escuro. O amor é profundamente satisfatório e nos leva imediatamente a um sentimento de conexão. Se for difícil identificar um recurso importante para um desafio, não se preocupe. De um modo ou de outro, experimente o amor.

Internalize recursos-chave

Depois de identificar uma potencialidade interior importante, use os passos SARE para selecionar experiências dela que você poderá instalar em seu sistema nervoso.

Talvez já exista alguma sensação desse recurso no fundo da sua mente. É preciso, então, notá-lo e trazê-lo para a frente do palco da consciência. Suponha que você esteja inseguro em relação a seu desempenho no trabalho e tenha se dado conta de que se sentir mais respeitado pelos colegas poderia ajudar. É possível que eles já falem e façam pequenas coisas que demonstram o quanto o reconhecem e o admiram, e que haja uma percepção passageira disso em sua consciência. Se isso está acontecendo, você pode tentar prestar mais atenção nessa experiência.

Você também pode *criar* experiências de um recurso interior importante. Por exemplo, para se sentir mais respeitado pelos colegas, poderia deliberadamente procurar fatos que demonstrem isso, como a sensação de camaradagem, um tom de voz aprovador ou um pedido de opinião. Você também pode entrar em ação, falando sem medo e se permitindo brilhar mais nas reuniões. Quando encontrar fatos que sejam oportunidades naturais de vivenciar uma potencialidade interior, desacelere para se concentrar neles e ajudar esse reconhecimento a se tornar uma experiência benéfica.

Quando estiver vivenciando o recurso, passe à fase de instalação do aprendizado. Repetindo: você pode amplificar a experiência permanecendo com ela, deixando-a preencher sua mente, abrindo-se para ela em seu corpo, procurando tudo que houver nela de novo e reconhecendo o que há ali de relevante ou importante. Assimile a experiência com a intenção de que ela passe a fazer parte de você, sentindo que a integra e descobrindo o que há de agradável nisso.

Concentre-se nas experiências, não nas condições

Qualquer oportunidade de sentir e cultivar um importante recurso mental é valiosa. Saiba quais experiências você procura e, quando as encontrar, realmente as assimile.

É natural pensar em seus recursos em termos de pessoas, acontecimentos ou cenários exteriores a você. Mas imagine o que essas condições o ajudariam a sentir dentro de você. É importante cuidar das condições externas por elas mesmas, inclusive pelo efeito que têm sobre os outros.

No entanto, para nosso objetivo prático, as condições externas são, acima de tudo, meios para obter as *experiências* que valorizamos. Por exemplo, suponha que uma pessoa gostaria de ter um parceiro romântico. Por que alguém buscaria essa "condição"? Pelo menos em parte, porque ela teria experiências de afeto, amor-próprio, alegria e outras coisas boas. Não há dúvida de que devemos tentar melhorar as condições de vida, nossas e dos outros, mas em geral elas mudam devagar, quando mudam. Por outro lado, quando o foco passa dos meios para os *fins*, das condições para as experiências, muitas possibilidades surgem. Por exemplo, mesmo sem um namorado, a pessoa pode encontrar outras maneiras de vivenciar afeto, amor-próprio e alegria.

Não estou tentando diminuir o valor de um parceiro amoroso nem de nenhuma outra condição externa, mas, se essa condição estiver fora de alcance, ainda há maneiras de vivenciar alguns de seus aspectos. E, em termos de internalizar recursos, *as experiências independem das condições que as evocam*. Qualquer música que toque no seu player interior pode ser "gravada", seja qual for a fonte. Entre outras coisas, isso significa que você pode agir a fim de internalizar experiências importantes que talvez tenham faltado quando você era pequeno, mesmo quando as condições da infância já ficaram, há muito, para trás.

Essa distinção entre condições e experiências, entre meios e fins, é importantíssima, e perdê-la de vista causa estresse e infelicidade. Por exemplo, alguém pode se motivar a atingir uma condição específica, como comprar um carro novo ou receber uma promoção, e assim perder de vista as necessidades a que essa condição atenderia, o que a fará perder oportunidades de vivenciar a satisfação dessas necessidades de outra maneira. O carro em si é importante ou a sensação de conforto e segurança é mais valiosa? O ponto crucial da questão é a promoção ou a sensação de sucesso e satisfação? Em outras palavras, as pessoas não são infelizes por não terem um carro ou uma promoção – elas são infelizes porque não se sentem confortáveis, seguras, bem-sucedidas e satisfeitas.

Ao reconhecer os verdadeiros fins, as experiências que mais importam, você poderá percebê-los quando já estiverem ocorrendo ou deliberadamente criá-los. Talvez não consiga ter todas as partes de uma experiência importante, como se sentir amado por pais carinhosos quando era criança ou apreciado por um parceiro romântico hoje. Mas quase sempre é possível encontrar aspectos dessas experiências que você possa internalizar – como sentir que um amigo gosta de você ou que um colega o admira. Talvez você não consiga cicatrizar completamente uma ferida ou preencher o vazio de seu coração. Ainda assim, alguma coisa é melhor do que nada. E algumas das coisas que você assimila podem, um dia, ajudá-lo a obter tudo aquilo que deseja.

USE FLORES PARA ARRANCAR ERVAS DANINHAS

Quando comecei a assimilar o que era bom na faculdade, às vezes tinha consciência de duas coisas ao mesmo tempo: eu me sentia apreciado no primeiro plano da consciência, mas havia uma sensação de falta de valor ao fundo. Quando isso acontecia, era como se o material positivo tocasse e se mesclasse no material negativo, enchendo aos poucos os vazios lá dentro e aliviando antigas feridas.

Essa é a essência do passo *Estabeleça ligações* do processo SARE. Pode soar esquisito, mas há muitos exemplos comuns. Você pode estar preocupado com alguma coisa e se tranquilizar ao conversar com um amigo. Talvez haja um revés no trabalho e você se lembre das vezes em que teve sucesso. Talvez um conhecido seja ríspido e o magoe, e então surja a lembrança de seu avô carinhoso, que o consola. Ao usar a primeira das três principais maneiras de se relacionar com a mente e simplesmente *permanecer com* algo que o incomoda, isso já estabelece uma ligação natural entre a experiência perturbadora e o sempre e inerentemente imperturbável campo da consciência.

Usando a neuropsicologia do aprendizado

Estabelecer ligações é um método poderoso. O cérebro aprende por associação e, quando dois elementos são mantidos na consciência ao mesmo tempo, um afeta o outro. O segredo é dar mais destaque ao elemento benéfico, não ao doloroso ou prejudicial. Então, o positivo purificará o negativo, em vez de o negativo contaminar o positivo.

Devido ao viés da negatividade, as experiências estressantes que temos no decorrer da vida são priorizadas no armazenamento do cérebro, principalmente na chamada *memória implícita*: os resíduos da experiência vivida que configuram suas expectativas, o modo como você se relaciona com os outros e a sensação básica de ser como você é. Os vestígios do passado o afetam no presente, e você pode estabelecer ligações para reduzi-los e até substituí-los. Quando reativado nos armazéns da memória, o material negativo se torna instável e se abre ao material positivo presente na consciência. Então o material negativo passa por um processo neurológico de *reconsolidação* que pode incorporar essas influências positivas. No jardim da mente, os três primeiros passos do SARE plantam flores. No quarto passo, você usa as flores para arrancar ervas daninhas.

Estabelecendo ligações de maneira habilidosa

Para estabelecer ligações, é preciso ser capaz de manter duas coisas na consciência, dar mais destaque ao material positivo e não se deixar dominar pelo negativo. Essa capacidade é aumentada pela prática da atenção plena. Se você for atraído para o aspecto negativo, deixe-o de lado e se concentre só no positivo. Mais tarde, é possível permitir que o negativo volte à consciência junto ao positivo. A maioria das experiências de estabelecimento de ligações é bem rápida, levando menos de meio minuto, mas você pode se demorar mais se quiser.

Selecione um material positivo que combine naturalmente com o negativo, como os recursos-chave ligados a desafios específicos que examinamos na seção anterior. Por exemplo, experiências de calma são antídotos para momentos de ansiedade ou nervosismo; sentir-se incluído hoje ajuda a cicatrizar as ocasiões em que você foi deixado de fora no passado. Se o material negativo parecer infantil, concentre-se em aspectos não verbais, táteis, delicados e amáveis do material positivo, como você faria com uma criança daquela idade.

Há duas maneiras de passar à etapa de estabelecimento de ligações. Em geral, você parte de algo positivo, como a sensação de um recurso-chave, e, enquanto vivencia essa experiência, pode trazer à mente algum material negativo para o qual aquilo seria um bom remédio. A outra maneira é partir de algo desconfortável, estressante ou prejudicial, como a ansiedade que está sentindo antes de fazer algum tipo de apresentação. Depois de *deixar estar*, *deixar ir* e *deixar entrar*, após permitir que seus sentimentos permaneçam pelo tempo que você quiser e então deixá-los sair, procure material positivo para substituir o que liberou, como uma sensação de calma por saber que o público realmente está interessado no que você tem a dizer. Até aqui, você só usou os três primeiros passos do SARE. Então, se quiser, pode avançar para o quarto passo e colocar o material positivo em contato com os remanescentes ou com as camadas de material negativo, a fim de extirpá-lo totalmente.

Tome cuidado com o material negativo. Se for forte demais, é melhor cultivar recursos mentais para abordá-lo somente com os três passos do SARE. Então, quando se sentir preparado, estabeleça ligações entre ele e o material positivo, de três maneiras progressivamente mais intensas.

Conheça

A maneira mais leve e, em geral, mais segura de se envolver com o material negativo é ter consciência apenas da *ideia* dele, como o reconhecimento de que você perdeu o pai quando criança. Mantenha a ideia "lá", no canto da mente, enquanto uma experiência rica e agradável está "aqui", sob os refletores do palco da consciência.

Sinta

Em seguida, caso esteja à vontade, você pode *sentir* o negativo, como a sensação de perda e o luto por ter perdido o pai. Lembre-se de guardar na consciência esse material menor, meio indefinido e menos ativo do que o positivo. Se o negativo começar a atraí-lo, volte a se concentrar no positivo.

Entre nele

Por fim, você pode imaginar ou sentir que o material positivo *entra em contato* com o negativo e *penetra* nele. Essa é a maneira mais intensa de engajá-lo; em consequência, pode ser a mais eficiente, mas também é a mais arriscada. Portanto, tome cuidado e afaste a atenção do negativo se for demais para você. Pode haver uma imagem da experiência positiva ocupando os vazios interiores, preenchendo-os gradualmente ou aliviando lugares feridos e machucados, como um bálsamo. Pontos de vista úteis podem substituir crenças limitantes ou dolorosas. Seu lado mais adulto pode pegar no colo, consolar, tranquilizar e alegrar o mais infantil. A compaixão pode tocar o sofrimento.

Quando estabelecer ligações, seja criativo e engenhoso. Fique a seu favor, ajudando tudo que for benéfico a predominar na mente. Use sua imaginação e siga sua intuição. Por exemplo, certa vez em que eu estabelecia ligações me veio a imagem de ondas de amor se quebrando na praia da mente, com a maré subindo.

Um processo de estabelecer ligações

Eis aqui um processo de experiência ampliada que você pode usar para lidar com pensamentos, sensações, emoções ou desejos dolorosos ou prejudiciais: o que chamo de material negativo. Ao entrar nesse processo, saiba qual é o material positivo – as experiências benéficas, a(s) potencialidade(s) interior(es), a vitamina C – que você gostaria de associar ao material negativo. Lembre-se de se afastar do negativo se ele ficar grande ou demasiadamente opressivo, de ficar a seu favor e de adaptar essa prática à sua necessidade. Provavelmente, isso levará pelo menos alguns minutos, e você pode demorar o tempo que quiser.

1. **Selecione.** Evoque a sensação de estar a seu favor e comece a criar uma experiência do material positivo. Você pode se lembrar de quando realmente vivenciou uma experiência desse tipo, talvez numa ocasião em que se sentiu seguro, satisfeito ou conectado. Ou imagine estar no tipo de cenário ou relacionamento que evocaria naturalmente essa experiência do recurso. Você pode chegar à experiência diretamente, mergulhando na memória sensorial dela no corpo, ou usar qualquer outra maneira que dê certo para selecionar uma experiência clara desse material positivo.

2. **Amplifique.** Permaneça com o material positivo. Se sua mente se afastar, volte a ele. Tente torná-lo mais intenso, preenchendo sua consciência. Explore essa experiência, sinta-a no corpo, abra-se a seus aspectos emocionais. Reconheça como ela é relevante, importante e valiosa para você.
3. **Receba.** Concentre-se e sinta essa experiência inundar você, se integrar em você, passar a fazer parte de você. Receba-a como um calor suave se espalhar por dentro. Reconheça o que há de bom nela, o que parece saudável e prazeroso.
4. **Estabeleça a ligação.** Quando estiver pronto, tome consciência da ideia do material negativo que está no fundo e do material positivo grande e brilhante no primeiro plano da consciência. Tudo bem se sua atenção oscilar entre o positivo e o negativo, mas tente ter consciência de ambos ao mesmo tempo. Permaneça com a ideia da experiência negativa ao lado da positiva por alguns segundos ou mais. Então, desde que não seja esmagador, sinta melhor a negativa – mas a mantenha no canto, menor e menos poderosa do que a positiva. Mais uma vez, explore como é essa sensação por algumas respirações, repousando na experiência positiva e encontrando um refúgio numa sensação forte da positiva, enquanto a negativa permanece no fundo da consciência.

    Finalmente, se lhe parecer bom, imagine que o material positivo toca o negativo e penetra nele. Talvez como ondas se espalhando pelas áreas feridas ou vazias lá dentro... ou como tranquilidade, consolo e bondade aliviando suas partes tristes... ou como a luz da percepção se espalhando pelas sombras... ou como amor e compaixão adultos pegando no colo e talvez murmurando palavras de conforto para as mágoas infantis. Pode haver uma sensação do positivo sendo recebido no negativo, deslizando por dentro e por baixo dele, talvez deslocando-o suavemente, liberando-o de sua mente. Tente não racionalizar o negativo nem criar uma grande história a seu respeito; mantenha essa experiência o mais intensa possível. Se o negativo ficar grande demais ou se você se perder dentro dele, deixe-o de lado e se concentre apenas no material positivo. Depois de restabelecer o positivo, você pode tomar consciência do negativo novamente, se quiser.

Para terminar, deixe sair tudo o que for negativo e repouse no material positivo. Aprecie. Você merece.

PONTOS-CHAVE

- Adquirimos recursos mentais através do *aprendizado*. Isso acontece em dois estágios: ativação e instalação. Primeiro, é preciso haver uma experiência do recurso ou de fatores a ele relacionados; depois, essa experiência tem que ser convertida numa mudança duradoura na função e na estrutura neurais.
- Sem instalação, não há aprendizado, cura nem desenvolvimento. Melhorar a instalação apressará a curva do aprendizado, e essa habilidade pode ser aplicada a tudo o que você gostaria de desenvolver internamente.
- Não se trata de pensamento positivo. É pensamento realista, é ver o mosaico completo da realidade com suas dores e problemas, além de suas diversas partes tranquilizadoras, prazerosas e úteis.
- Você pode cultivar potencialidades interiores em quatro passos, resumidos como SARE: selecionar uma experiência positiva (agradável, benéfica), amplificá-la, recebê-la e, opcionalmente, estabelecer uma ligação entre ela e uma experiência negativa.
- Você pode usar os passos SARE para cultivar os recursos mentais que mais o ajudariam hoje. Use o arcabouço das três necessidades básicas (segurança, satisfação e conexão) para identificar as potencialidades interiores mais adequadas aos seus desafios.
- O passo de estabelecer ligações é um modo poderoso de usar o material psicológico positivo para aliviar, reduzir e até substituir o negativo.
- Podemos aprender a aprender. Aprender é a potencialidade interior que cultiva todas as outras.

SEGUNDA PARTE

BUSCAR RECURSOS

CAPÍTULO 4

GARRA

*A resistência está na
alma e no espírito, não
nos músculos.*

ALEX KARRAS

Garra é a engenhosidade teimosa, resistente. É o que resta depois que tudo o mais virou pó – e quando até a garra se desgastou, o problema é grave.

Tive algumas lições assustadoras sobre isso quando fui acampar com meu amigo Bob. Passamos o dia nos arrastando por camadas profundas de neve numa região pouco habitada perto do Parque Nacional das Sequoias, escalando os morros com raquetes de neve nos pés. Em experiências anteriores na natureza e em outros ambientes hostis, tínhamos desenvolvido boa resistência àquele meio e estávamos confiantes de que tudo daria certo. Bob tem uma tremenda vitalidade natural e avançava na frente para abrir caminho. Quando começou a escurecer e precisamos acampar, estávamos exaustos, e Bob começou a tremer incontrolavelmente. Ele gastara tanta energia sem se aquecer que estava com hipotermia, o primeiro estágio da morte por congelamento. Na verdade, ele esgotara seu suprimento interior de garra, o que deixou sua necessidade de segurança em risco mortal. A temperatura caía rapidamente, e eu mesmo estava esgotadíssimo. Corremos para armar a barraca, entrar no saco de dormir, acender o fogareiro, beber e comer algo quente. Logo os dentes de Bob pararam de bater e em pouco tempo nos recuperamos. Depois de uma longa noite de frio, desmontamos o acampamento de manhã e voltamos lentamente para a civilização, dessa vez com muito mais cuidado para não nos esgotar completamente.

Foi uma forte lição sobre a importância de desenvolvermos, em primeiro lugar, garra para enfrentar os desafios que conhecemos e também os que nos surpreendem. Se Bob e eu não contássemos com treinamento e experiência, algo gravíssimo poderia ter acontecido. Em segundo lugar, foi um lembrete da importância de nos reabastecermos de garra pelo caminho e não deixar a bateria zerar.

A garra se baseia em várias coisas. Para aumentar a garra dentro de você e se reabastecer, começaremos explorando a *capacidade de ação*, a noção de que podemos fazer as coisas acontecerem em vez de ficar desamparados. Depois falarei de diversos aspectos da determinação, como a paciência e a tenacidade. Terminaremos com maneiras de aumentar a vitalidade, inclusive pela aceitação e pela apreciação do corpo. Se quiser conhecer pontos de vista adicionais sobre a garra, recomendo o livro de Angela Duckworth, que traz sua pesquisa sobre o tema.

CAPACIDADE DE AÇÃO

Ter capacidade de ação é ter a noção de ser *causa,* não efeito. Essa capacidade está presente quando você pega deliberadamente o suéter azul em vez do vermelho ou ouve alguém exprimir uma opinião e pensa: "Não, não concordo." Quem tem capacidade de ação é ativo, não passivo, toma a iniciativa e dirige a vida em vez de ser levado. Essa capacidade é básica na garra, pois sem ela a pessoa não consegue mobilizar outros recursos interiores para lidar com as situações. Quando a vida o derruba, a capacidade de ação é a primeira coisa que você usará para se levantar do chão.

Desaprendendo o desamparo

Capacidade de ação é o oposto do desamparo. A pesquisa liderada por Martin Seligman mostrou que somos muito suscetíveis a nos apropriarmos do *desamparo aprendido* através de situações de impotência, imobilização e derrota. Pense numa criança que não consegue fugir de agressores ou num adulto que foi agredido. Ou em situações nas quais há desencontro entre a responsabilidade e os próprios recursos, como quem trabalha numa empresa que demitiu muita gente e precisa fazer o serviço de três pessoas. Até formas sutis de desamparo desgastam os indivíduos com o tempo, como tentar várias vezes obter a atenção empática de um parceiro, até desistir. A sensação crescente de pessimismo, inutilidade e desesperança acaba com o humor, a capacidade de lidar com as situações e a ambição, além de ser um forte fator de risco da depressão.

Normalmente são necessárias muitas experiências de capacidade de ação para compensar uma única experiência de desamparo, outro exemplo do viés da negatividade do cérebro. Para prevenir o desamparo ou desaprendê-lo aos poucos, busque experiências nas quais você faz escolhas ou cujo resultado você influencia. Então concentre-se e receba a sensação de ser um agente ativo: um martelo, não um prego. Especificamente, procure experiências nas quais haja a sensação vigorosa de iniciar algo ou de fazer um projeto avançar. Pode ser a decisão de repetir uma série de levantamento de peso na academia ou de manter uma postura de ioga por mais de dez segundos. Num evento social, você pode decidir que já basta e que está na hora de ir embora. Numa reunião, se sua ideia foi mal entendida e rejeitada, você pode levantar a mão e explicar tudo de novo.

Na vida, às vezes nos distanciamos e damos uma boa olhada na situação – como um relacionamento ou um modo de criar filhos – e, de um jeito profundo e sincero, reconhecemos que precisamos fazer uma mudança significativa. Pode ser difícil, pode ser doloroso, mas escolhemos a mudança. Isso também é capacidade de ação.

Quando a capacidade de ação é limitada

Quando suas opções são limitadíssimas, procure as pequenas coisas que *pode* fazer e se concentre na sensação de possuir capacidade de ação. Por exemplo, quando enfrenta um problema de saúde, você poderia decidir pesquisar sobre o assunto na Internet? Numa discussão com alguém da família, consegue perceber o que *você* decidiu dizer – e o que não dizer?

Quanto mais forte for a opressão, mais importante é encontrar maneiras de experimentar alguma capacidade de ação, qualquer uma.

Se não conseguimos exercer essa capacidade "lá fora", com palavras e atos, geralmente podemos fazer escolhas "aqui dentro", na mente. A menos que algo seja extraordinariamente doloroso em termos físicos ou emocionais, temos o poder de desviar nossa atenção para outra coisa mais útil ou agradável. Por exemplo, quando estou na cadeira do dentista, penso em minhas caminhadas pela planície entre as montanhas do Parque Nacional de Yosemite. Também temos poder sobre nosso modo de pensar a respeito de situações e relacionamentos, colocando-os em diferentes perspectivas. Quanto menos poder temos "lá fora", mais importante é exercer a capacidade de ação "aqui dentro". Quando fizer escolhas deliberadas dentro da mente, tente reconhecer esse fato e registrar o sentimento de que é você quem escolhe.

Acontecem conosco muitas coisas que estão além do nosso controle, mas mesmo assim podemos experimentar a capacidade de ação no modo como *reagimos* a elas. Se isso é possível até nas situações mais terríveis, então é possível no cotidiano. Considere este trecho de Viktor Frankl depois de sobreviver ao Holocausto:

> *Nós, que vivíamos em campos de concentração, nos lembramos dos homens que andavam pelas barracas consolando os outros, dividindo seu último pedaço de pão. Podiam ser poucos em número, mas são prova suficiente de que tudo pode ser tirado de um homem, menos uma coisa: a última das liberdades humanas – a de escolher a própria atitude em qualquer circunstância, a de escolher o próprio caminho.*

Cuide das causas

Faz sentido se concentrar nas circunstâncias em que temos capacidade de ação e não nas que não temos. Por exemplo, há uma velha macieira em nosso quintal que podei e reguei durante anos, sem jamais conseguir que me desse uma maçã. Da mesma forma, muitas vezes na vida só podemos cuidar das causas, nunca forçar um resultado. Podemos alimentar, proteger e guiar nossos filhos, mas não podemos controlar o que acabarão fazendo quando adultos. Podemos ser gentis e carinhosos com os outros, mas não fazer com que nos amem. Podemos comer alimentos nutritivos, nos exercitar e ir ao médico, e mesmo assim adoecer. O máximo que podemos fazer é regar a macieira.

Ainda que não possamos criar diretamente o que queremos, podemos estimular os processos subjacentes que fazem aquilo acontecer. Saber disso traz tanto uma sensação de responsabilidade quanto de paz. Em termos de responsabilidade, cabe a cada um de nós cuidar das causas que podemos influenciar e usar a capacidade de ação de que dispomos. Reserve algum tempo para considerar as principais áreas da sua vida, como saúde e relacionamento, e procure coisas simples e realistas que possa fazer para melhorá-las. Por exemplo, tomar um bom café da manhã, levantar-se da mesa de trabalho pelo menos uma vez a cada hora e dormir num horário razoável quase todas as noites podem fazer muita diferença. Desacelerar e escutar um amigo pode ser bom para seu relacionamento. Coisas aparentemente pequenas costumam causar grandes resultados. Ao considerar sua vida dessa maneira, se você vir algo que exija mais atenção, deixe que esse reconhecimento se torne um sentimento de compromisso que você amplifica e recebe. Entregue-se ao sentimento para que ele o conduza à ação. No fim de cada dia, saiba que fez o melhor possível.

Enquanto isso, aprecie a sensação maior de paz. Muitas pessoas passam pela vida exigindo que as sementes nos deem maçãs. Permanecemos presos a resultados específicos e ficamos frustrados, tomados pela autocrítica, quando eles não vêm. A verdade é que 10 mil coisas anteriores a este momento levaram a esses resultados; a maioria delas está além do controle de qualquer um. A princípio, reconhecer e aceitar esse fato pode parecer alarmante, como ser arrastado rio abaixo, mas, quando se acostumar, você sentirá um alívio da tensão e da sensação de que precisa ter controle sobre as coisas, que darão lugar a uma serenidade crescente.

DETERMINAÇÃO

Situações desafiadoras acontecem a todo mundo, e a *determinação* é a força mental inabalável na qual nos apoiamos para suportá-las, enfrentá-las e sobreviver a elas. É possível estar ferido e fragilizado... e ser muito determinado. Algumas das pessoas mais determinadas que conheci eram as que carregam o fardo mais pesado, como um jovem amigo haitiano que lutava para sair da miséria e outro que está perdendo progressivamente a visão. A determinação talvez pareça sombria, mas na verdade pode ser divertida e despreocupada. Pense nesta descrição que ouvi de Thich Nhat Hanh, o monge e mestre budista defensor da paz: "Uma nuvem, uma borboleta e uma escavadeira."

A determinação tem quatro aspectos: *resolução, paciência, persistência* e *ferocidade*. Ao longo do dia, você pode usar os passos SARE para transformar experiências desses aspectos numa sensação ainda mais forte de determinação.

Resolução

A resolução é voltada para uma meta. Não possuí-la é como um carro com motor possante sem ter aonde ir. Para obter uma sensação concreta de como é a resolução, pense nas vezes em que você levou uma meta a sério. Que expressão você faz quando está totalmente dedicado a alguma coisa, quando faz algo a sério? Pode haver em você certa gravidade, uma intenção férrea. Quando tiver uma experiência de resolução, permaneça com ela uns dez segundos ou mais para se tornar ainda mais resoluto e determinado.

É claro que precisamos ser adaptáveis na busca por nossas metas. Se somos exigentes demais com pequenos detalhes, corremos o risco de perder de vista o fim, por estarmos fixados nos meios. A verdadeira resolução é como velejar contra o vento, navegando em zigue-zague para chegar ao destino.

Tenha coragem ao longo do caminho, senão a resolução pode esfriar e se tornar opressiva – como um cruel chefe interior que grita com você –, em vez de afetuosa e construtiva. A resolução inclui paixão, fervor e até alegria. Pense em algo que você "deveria" fazer mas não faz e reserve algum tempo para se imaginar fazendo essa coisa de um jeito mais sincero. Ao imaginar, observe que sua sensação de comprometimento aumenta naturalmente. Deixe essa sensação maior de resolução se instalar.

Paciência

Certa vez, quando adolescente, tive uma daquelas experiências sofridas que ficam marcadas por toda a vida. Tarde da noite, da janela do meu apartamento, vi um trabalhador andando com dificuldade pela rua. Não sei se voltava para casa ou se ia começar sua jornada. Parecia cansado. Talvez os pés doessem, talvez preferisse uma vida diferente. Mas continuava avançando. Ele me fez pensar em meus pais e em outras pessoas que seguiam fazendo o que é certo, cumprindo suas obrigações, pondo um pé na frente do outro pacientemente.

Muitos erros da minha vida foram fruto da impaciência: ficava irritado com o tempo que algo levava, pressionava os outros para irem mais depressa ou tirava conclusões precipitadas. Paciência não significa ignorar os problemas reais. A vida é cheia de atrasos e desconfortos, e às vezes temos simplesmente que esperar.

A paciência talvez pareça uma virtude singela, mas é a essência de dois fatores essenciais da saúde mental e do sucesso na vida. O primeiro é *adiamento da gratificação*, a disposição para descartar recompensas imediatas em nome de uma recompensa futura maior. O segundo é a *tolerância à angústia*, a capacidade de suportar uma experiência dolorosa sem piorar as coisas – como se "automedicar" comendo ou bebendo demais.

Escolha alguma área da sua vida que seja frustrante ou exasperadora e veja se consegue se imaginar sendo mais paciente nesse âmbito. Como você se sentiria? Poderia haver uma sensação de aceitação, de tolerância ao estresse ou à dor, de respirar lentamente, de dar um passo depois do outro. Dentro de você, o que o ajudaria a ser mais paciente? Você poderia se concentrar na sensação de ainda estar vivo e basicamente bem, mesmo quando não consegue o que quer. Poderia, intencionalmente, deixar ir a irritação e concluir que tudo o que vem aturando deverá ser apenas um breve episódio em sua vida inteira. Se fosse mais paciente, você conseguiria bons resultados? Provavelmente se sentiria melhor e mais eficiente, enquanto os outros ficariam mais felizes ao seu lado. Quando experimentar a paciência, use o passo Receba do SARE. Assim você a trará para seu interior e terá a sensação de se tornar realmente mais paciente. Experimente estabelecer ligações: mantenha a paciência e a frustração juntas na consciência e use a paciência para aliviar e acalmar os pontos de tensão ou irritação dentro de você.

Persistência

Há versões diferentes desta fábula em muitas culturas: algumas rãs caíram num balde cheio de creme de leite e nenhuma conseguia escapar. Uma a uma, elas desistiram e se afogaram. Mas uma delas continuou nadando, batendo as patinhas metodicamente para se manter na superfície. Aos poucos, bem devagar, o creme foi se transformando em manteiga sólida. Então a rã saltou do balde e viveu feliz para sempre.

Adoro essa fábula e a ideia de que, aconteça o que acontecer, você ainda pode persistir por si mesmo, mesmo que seja só dentro da sua cabeça. Mesmo que seu esforço não traga resultados, no fundo você saberá que tentou, o que é reconfortante e honroso.

Geralmente, são os esforços pequenos, constantes e pouco radicais os que mais fazem diferença ao longo do tempo. Imagine que você queira levar um barco grande do cais para a água. Você pode correr em alta velocidade para tomar impulso e bater no barco, mas isso seria doloroso e teria pouco efeito. Ou pode ficar na beira do cais, encostar no barco – e continuar empurrando aos poucos.

Há alguma coisa importante na vida em que seria bom continuar empurrando aos poucos? Talvez praticar exercícios regulares, meditar ou melhorar gradualmente seu relacionamento com seu cônjuge ou com seu filho adolescente, uma interação breve e positiva de cada vez. É possível realizar grandes coisas persistindo nas pequenas ações. Suponha que você tenha pensado em escrever um livro, mas a tarefa lhe pareça grande demais. Bom, você conseguiria escrever duas páginas em um dia? Faça isso de pouco em pouco, a cada dia, cem vezes no decorrer de um ano, e você terá um livro.

Às vezes é mais importante persistir em seus pensamentos e sentimentos. Conheci pessoas que enfrentaram com bravura condições adversas, como empregos arriscados, mas desistiram quando era importante ser emocionalmente vulnerável. Aqui, também, passos pequenos fazem a pessoa avançar. Experimente permanecer com um sentimento assustador por um segundo a mais do que de costume ou se revelar um pouco mais para outra pessoa. Observe os resultados. O mais provável é que nada de ruim aconteça e que, na verdade, você e os outros se sintam bem. Então, registre e internalize a sensação de correr um pequeno risco e tudo dar certo. Parta daí para o próximo passo, e outro e mais outro.

Ferocidade

A determinação tira proveito de algo antigo e selvagem que existe dentro de cada um de nós. Tive uma experiência espantosa disso aos 19 anos, quando ajudava a levar um grupo de crianças para acampar nas montanhas em Yosemite.

Estávamos no fim da primavera, e as noites ainda estavam muito frias. Paramos para almoçar num rochedo ao lado de um rio e depois prosseguimos. Cerca de 2 quilômetros adiante, um dos garotos percebeu que esquecera o casaco onde havíamos parado. Eu disse que iria buscar e que nos encontraríamos no acampamento para jantar. Larguei a mochila, voltei aos rochedos e encontrei o casaco. Mas não consegui achar a trilha pela qual viera. Saí correndo em todas as direções, cercado de pedras, árvores e terreno acidentado. A pessoa mais próxima estava a quilômetros dali. Eu estava perdido, vestindo apenas uma camiseta, sem água e sem comida, a noite chegando. Comecei a entrar em pânico.

Então uma sensação estranha me inundou: eu faria o que fosse preciso para sobreviver. Havia uma energia selvagem, não era má ou cruel. Era como o gavião faminto que mergulha para abater um coelho: sem maldade, sem vingança, mas ferozmente comprometido com a própria sobrevivência. A energia eliminou o pânico e me deu forças para procurar com atenção os leves indícios da trilha. Finalmente a encontrei e, muitos quilômetros depois, tarde da noite, me reuni com meus amigos.

A sensação daquela vontade brutal de resistir ficou comigo, e a aproveitei muitas vezes. Paradoxalmente, simplesmente saber que posso recorrer a ela se precisar me ajudou a dar a outra face em algumas situações, nas quais, na verdade, eu usei a ferocidade para me manter civilizado. Nós *somos* animais com força e tenacidade suficientes para subir ao topo da cadeia alimentar. Em algumas abordagens da psicologia e da religião você encontrará a ideia fundamental de que o porão primitivo da mente é cheio de criaturas asquerosas e fedorentas que têm que ficar trancadas lá. Claro, precisamos nos controlar, mas não precisamos temer os elementos selvagens que temos dentro de nós nem sentir vergonha deles.

Pense numa boa experiência que teve em que foi selvagem e forte, talvez ao defender alguém, ao andar pelo mato ou lidar com uma emergência. Imagine como seria e como ajudaria trazer parte dessa intensidade a uma situação atual difícil. Ao olhar para trás, vejo que muitas vezes fui civilizado demais, contido demais. Talvez, como eu, possa lhe fazer bem abrir uma porta aí dentro e tirar algo que seja ferozmente útil.

VITALIDADE

O que pensamos e sentimos tem como base nossas sensações e nossos movimentos físicos. A psicologia já constatou que o desenvolvimento cognitivo das crianças é moldado pela atividade sensório-motora e que o estado de espírito e o ponto de vista dos adultos são altamente influenciados pelo prazer e a dor, pela energia e a fadiga, pela saúde e a doença. De maneira semelhante, somos afetados pelo modo como sentimos nosso corpo e o tratamos. Passei anos pensando que meu corpo era magro demais, gordo demais, isso demais, aquilo demais, enquanto o forçava a trabalhar, como se enfiasse as esporas num cavalo morro acima, dia após dia. Quando a pessoa não gosta do próprio corpo, é mais difícil cuidar bem dele; então a vitalidade diminui e, com ela, a garra e a resiliência. Precisamos aceitar e apreciar nosso corpo, cuidar dele e tratá-lo mais como amigo do que como um animal descartável.

Aceitando o próprio corpo

Como você se sente em relação ao seu corpo? Muita gente é extremamente crítica, sente-se constrangida ou tem vergonha do próprio corpo. Uma das razões para isso é que somos bombardeados com incontáveis mensagens, desde a mais tenra infância, de como meninas e meninos, mulheres e homens deveriam ser. Pense no que você viu e ouviu de seus pais, colegas de escola e amigos, dos anúncios publicitários e da mídia ao longo dos anos.

Na verdade, poucos conseguem atender aos padrões – mas os internalizamos de qualquer maneira, quando nos olhamos no espelho e nos julgamos, nos sentimos pressionados e envergonhados. Assim, é facílimo ficar obcecado com comida ou exercícios, embarcar no ioiô das dietas e, talvez, até mesmo desenvolver um transtorno alimentar.

Para aceitar melhor seu corpo, comece se lembrando de pessoas de quem gosta e que respeita. Até que ponto a aparência delas importa para você? Provavelmente pouquíssimo. Pense também sobre o que acontece ao conhecer pessoas novas. Quanto tempo é necessário para ultrapassar a aparência e chegar a uma impressão mais profunda sobre elas? Provavelmente menos de um minuto. Ficamos preocupados com o que os outros pensam sobre nossa aparência, mas em geral eles dão tão pouca importância a isso quanto nós.

Como é saber que sua aparência não é importante para a maioria das pessoas? Como é saber que, na verdade, sua aparência é absolutamente ok para elas? Permaneça algum tempo com isso e ajude esse conhecimento a se estabelecer em você. Se sua atenção for atraída por algum comentário negativo que tenha ouvido a respeito de seu peso, puxe-a de volta ao que já sabe sobre como a maioria o vê. Ajude a convicção a se desenvolver, o sentimento de que você realmente acredita que os outros aceitam sua aparência. Talvez diga a si mesmo: "As pessoas estão ocupadas e têm suas próprias preocupações... Não vão perder tempo criticando minha aparência... mesmo que uma pessoa a critique, os outros a aceitam... eles se sentem bem comigo." Abra-se aos sentimentos relacionados de alívio e tranquilidade. Relaxe e deixe a boa notícia inundar você.

Depois dê o passo seguinte: veja se consegue aceitar seu corpo tanto quanto os outros o aceitam. É bom ter metas realistas de saúde e boa forma, mas, enquanto isso, seu corpo é o que é, e você pode aceitá-lo. Escolha uma parte do seu corpo de que você gosta, como os dedos ou os olhos. Aceite-a e assimile a sensação de aceitá-la. Então, começando pelos pés, tente sistematicamente aceitar áreas maiores do seu corpo. Você pode se olhar em um espelho ou trazer as várias partes do corpo à mente. Faça aquilo que o ajude a passar à aceitação. Se não conseguir aceitar uma parte do corpo, pense em outras. Diga a si mesmo: "Pé esquerdo, eu o aceito... pé direito, você é aceitável... canela esquerda, aceito você como é... canela direita, aceito você também." Deixe a sensação de aceitação crescer e se espalhar em sua mente. Relaxe e deixe os julgamentos saírem. Você pode usar o estabelecimento de ligações e aproveitar essa aceitação para acalmar e aliviar qualquer autocrítica sobre seu corpo.

Apreciando seu corpo

Além de aceitar seu corpo, você consegue apreciá-lo? Suponha que você tenha um amigo com um corpo como o seu – além dos talentos, das habilidades, do bom coração e das outras virtudes que você tem. Suponha também que esse amigo se preocupe com o corpo, sinta vergonha dele e o critique, do mesmo modo que você faz. Imagine algumas coisas sensatas, compassivas e inspiradoras que você lhe diria. Pode escrevê-las, se quiser. Então, diga-as para si mesmo, seja mentalmente ou em voz alta. Experimente também a prática a seguir.

OBRIGADO, CORPO

Como toda prática, adapte-a à sua necessidade, eliminando o que for desconfortável. Respire fundo algumas vezes, relaxe e evoque a sensação de estar a seu favor. Traga à lembrança as pessoas que o apreciam, valorizam ou amam. Permita-se sentir que se importam com você.

Imagine sua vida como um filme, começando quando era bem pequeno e avançando até o presente. Assista a esse filme e veja de que modo seu corpo o protegeu e serviu. Mesmo que tenha limitações, alguma deficiência ou doença, ele cuidou de você de muitíssimas maneiras. Imagine seu corpo lhe dizendo como o ajudou, por exemplo: "Criei olhos para que você enxergasse... Construí um cérebro maravilhoso para que você pensasse e sonhasse... Meus braços e mãos lhe permitem abraçar quem você ama... Permiti que você andasse, trabalhasse, dançasse, cantasse e tivesse tanto prazer."

Examine as principais partes do seu corpo, dos pés à cabeça. Veja se consegue apreciar cada uma delas, talvez se dizendo coisas como: "Pés, obrigado por me carregar... Coxas, vocês fizeram seu serviço tantas vezes, e sou muito grato... Coração e pulmão, todos esses batimentos e respirações, céus, como os aprecio... Mãos e quadris, aceito-os como são... Peito e braços, pescoço e ombros, cabeça e cabelo, obrigado por tudo o que fizeram por mim."

Imagine seu corpo nos dias que virão. Veja-se em situações diferentes no ano que vem – talvez com amigos, no trabalho, em reuniões de família – e imagine que, em todas essas ocasiões, você o aceita completamente... imagine que nelas você o aprecia realmente... imagine que gosta do seu corpo nessas situações. Tome consciência de como seria bom se relacionar com seu corpo dessa maneira. Deixe esse bom sentimento inundá-lo enquanto você mergulha nele.

Cuidando de seu corpo

A saúde física é um tremendo auxílio à resiliência, e as ameaças mais importantes à segurança são ameaças ao corpo. Como sou psicólogo, não estou dando orientações médicas, mas o básico do bom senso é óbvio:

- Tenha uma alimentação nutritiva e equilibrada.
- Durma bem à noite.
- Faça exercícios regularmente.
- Minimize ou elimine o uso de substâncias tóxicas.
- Avalie e trate possíveis problemas de saúde sem demora.

A maioria das pessoas sabe o que deve fazer. O segredo é aproveitar a capacidade de ação e a determinação para colocar em prática esse conhecimento. Considere a lista acima e veja se precisa tomar alguma providência.

Se houver algo que você sabe que deveria fazer e não faz, pare e pense nas consequências que isso tem: na maneira como você se sente num dia comum, para as outras pessoas, para você mesmo daqui a um, dez ou vinte anos, em relação a quanto tempo você quer viver e com que qualidade.

Geralmente, as pessoas adiam a melhora de suas práticas de saúde pessoal. É muito fácil dizer "começo amanhã". Mas os amanhãs vão se acumulando, e assim passam-se anos. Então algo acontece – uma lesão, uma doença grave ou um fator estressante – que atinge um corpo já enfraquecido, como o galho de árvore que cai numa casa corroída por cupins. É motivador (e não mórbido) perceber que estamos todos avançando e a pista está acabando, que é hora de mudar algo que possa acrescentar anos de qualidade à nossa vida.

Imagine como será bom fazer essa mudança. Reserve algum tempo para imaginar a sensação de saúde e energia no corpo, o sentimento de amor-próprio, a apreciação dos outros, os anos que terá pela frente com amigos e parentes. Se houver dúvidas na hora de manter a mudança, simplesmente volte a atenção para uma experiência rica de recompensas. Use um ou mais dos cinco aspectos do passo *Amplificar* do SARE para fortalecer a experiência: permaneça com ela, ajude-a a ser mais intensa, abra-se para ela em seu corpo, encontre nela algo novo e reconheça como é valiosa para você. Tudo isso será motivador, inclinando seu cérebro para esse novo comportamento.

Então, é claro, mude. Procure maneiras simples e práticas para dar apoio a si mesmo. Por exemplo, se quiser reduzir a quantidade de carboidratos ingeridos, almoce uma salada com alguma fonte de proteína e não leve para casa o pacote de rosquinhas. Se quiser dormir mais, desligue a televisão às dez da noite. Se precisa de mais exercício, marque uma caminhada com um amigo. Se o álcool é tentador, deixe-o fora de casa. E, quando agir, mesmo que de maneira tímida, pare um instante e sinta realmente a recompensa da ação.

Não pretendo banalizar a dificuldade de adotar um novo hábito saudável. Já tive minhas lutas, é claro. Mas a probabilidade de sucesso aumenta drasticamente quando você "cuida das dificuldades" de três maneiras: reconhece a necessidade de mudança, toma as providências adequadas e internaliza a experiência das recompensas que vierem. Continue regando a árvore, e é provável que ela lhe traga bons frutos.

PONTOS-CHAVE

- Algumas experiências de sentir-se preso, impotente e derrotado podem levar ao "desamparo aprendido", que corrói a ambição e a capacidade de lidar com as situações, além de ser um fator de risco da depressão. Portanto, é importante procurar o que se pode fazer, ainda que só dentro da sua mente, principalmente em situações ou relacionamentos difíceis.
- Em muitas coisas da vida, você pode cuidar das causas, mas não dos resultados. Saber disso traz responsabilidade e paz interior.
- Use os passos SARE para internalizar experiências de resolução, paciência e persistência.
- Às vezes, achamos que a saúde mental suprime nossa natureza animal primitiva. Mas aí partes selvagens e maravilhosas do eu ficam trancadas. Ser capaz de aproveitar sua ferocidade animal o torna mais resiliente.
- O modo como você sente seu corpo e trata dele afeta sua saúde e vitalidade, que, por sua vez, afetam seus pensamentos, sentimentos e ações.
- Assim como você provavelmente não liga muito para a aparência dos outros, a maioria das pessoas não liga para o seu corpo. Aceite-o como é e se concentre no que aprecia nele.
- Não adie ações sensatas a favor da saúde física. Sempre parece mais fácil começar amanhã. Em vez disso, pergunte-se: "O que posso fazer hoje?"

CAPÍTULO 5

GRATIDÃO

Leitão notou que, embora tivesse um coração bem pequeno, nele cabia uma quantidade bem grande de Gratidão.

A. A. MILNE

A gratidão e outras emoções positivas trazem muitos benefícios importantes. Elas favorecem a saúde física, fortalecendo o sistema imunológico e protegendo o sistema cardiovascular. Além disso, nos ajudam na recuperação após perdas e traumas. Elas ampliam o campo perceptivo e nos auxiliam a ver o quadro maior e as oportunidades que existem nele; incentivam a ambição. E conectam as pessoas.

Temos a tendência a passar a vida buscando maneiras de nos sentirmos bem no futuro, mas isso é estressante e cansativo no presente. Com a gratidão, você se sente bem agora. Portanto, vamos examinar como desenvolver a gratidão e outras emoções positivas agradecendo, tendo prazer, sentindo-nos bem-sucedidos e sendo felizes pelos outros.

AGRADECENDO

Recorde uma ocasião recente em que agradeceu, em voz alta ou só na sua mente. Talvez enquanto fazia uma refeição, ao ser abraçado ou ao olhar o céu. A reação natural do corpo, quando ficamos gratos, é produzir uma sensação de tranquilidade, satisfação, necessidade atendida.

Pense em algo que lhe deram: como amizade e amor, educação, a própria vida e um universo que começou a existir há mais de 13 bilhões de anos. E isso só para começar. Ao lado de tudo que é difícil ou doloroso na vida de cada um, sempre há muito a agradecer.

Como uma pequena experiência, traga à mente algo que você tenha recebido e então pense ou diga "obrigado" por isso. A gratidão é prazerosa por si só. Além disso, Robert Emmons e outros pesquisadores descobriam que ela traz uma série notável de benefícios:

- Mais otimismo, felicidade e amor-próprio; menos inveja, ansiedade e depressão.
- Mais compaixão, generosidade e perdão; relacionamentos mais fortes; menos solidão.
- Sono de melhor qualidade.
- Mais resiliência.

Maneiras de cultivar a gratidão

Sentir gratidão não é minimizar ou negar obstáculos, doenças, perdas e injustiças. É simplesmente apreciar a realidade: as flores e a luz do sol, os clipes de papel e a água fresca, a gentileza dos outros, o acesso fácil ao conhecimento e à sabedoria e a luz que se acende quando acionamos o interruptor.

Fique atento a qualquer dúvida sobre o reconhecimento dessas dádivas, como o temor de que isso o leve a perder a noção de seus problemas ou baixar a guarda. É bom lembrar que você pode ser profundamente grato e, ao mesmo tempo, ter consciência do que pode dar errado.

Quando há dor, verifique se junto ao sofrimento vem alguma dádiva. Por exemplo, nossos filhos cresceram, saíram de casa e sentimos saudade deles, mas também valorizamos seu amadurecimento como adultos.

Um dos principais achados da pesquisa sobre gratidão é a importância de comemorar com os outros as dádivas da vida. Não me esqueço de uma festa na pré-escola da minha filha, quando eu e minha esposa, ao lado de mais de cem outros pais e mães, vimos as crianças cantarem e apresentarem pequenos esquetes teatrais. Foi uma apresentação tão bonita, e nos sentimos muito agradecidos a nossos filhos e seus professores.

Tente fazer da gratidão uma parte habitual do seu dia. Por exemplo, ponha um lembrete na escrivaninha ou no painel do carro para agradecer. Você pode fazer um diário das coisas pelas quais se sente grato ou escrever uma carta a alguém dizendo o que aprecia nessa pessoa. Um método poderoso é refletir sobre três bênçãos da vida antes de adormecer. Ajude o reconhecimento daquilo que você recebeu se transformar em sentimentos de apreciação, tranquilidade e até admiração e alegria. Use os passos SARE para internalizar esses sentimentos, mergulhando neles enquanto eles inundam você. A prática seguinte ampliará sua experiência.

SENDO GRATO

Inspire e relaxe. Pense em alguém que você realmente aprecia. Lembre-se de algumas coisas que essa pessoa lhe deu. Permita que essa lembrança se torne um sentimento de gratidão, e deixe esse sentimento se instalar.

Pense no quanto você foi afortunado na vida, como seus talentos naturais desabrocharam, quando ou onde nasceu, quem foram seus pais, a sorte que você teve. Sem depreciar seu esforço próprio, abra-se a experimentar gratidão pela sua sorte.

Considere a natureza no planeta: flores, árvores, bandos de pássaros, toda a vida do oceano. Mentalmente ou em voz alta, veja o que acontece quando você diz "obrigado". Deixe a gratidão preencher seu coração e transbordar.

Considere alguns dos muitos objetos que você usa todo dia e que foram feitos ou inventados por outras pessoas, geralmente há muito tempo: rodas, alfinetes de segurança e celulares, molho shoyu, a iluminação das ruas e os sinais de trânsito, zíperes e fivelas de cinto. Entregues a você, ofertados a você, merecedores de agradecimento.

Agora recue um pouco e pense em todas as coisas que aconteceram para criar nossa galáxia, a Via Láctea, nosso sistema solar, nosso lindo planeta, a vida surgindo há mais de 3 bilhões de anos, a espécie humana aparecendo, seus avós nascendo, tendo filhos que se conheceram e tiveram você. Tantas coisas se reunindo para que você passasse a existir. Olhe para trás no rio do tempo e verá muitas coisas a agradecer. Obrigado.

TENDO PRAZER

Nossos prazeres incluem lindas paisagens, ideias fascinantes e bons momentos com outras pessoas. Prazeres saudáveis expulsam os prejudiciais; depois de comer uma maçã, a vontade de comer chocolate diminui. Se estiver passando por uma experiência estressante ou aborrecedora, prazeres simples como ouvir música podem fazer a agulha de seu estressômetro interno sair da zona vermelha e voltar à verde. E, se você usar os passos SARE para internalizar repetidamente as experiências de prazer, com o tempo se sentirá cada vez mais satisfeito de dentro para fora. Isso ajudará a reduzir os desejos de prazer de fora para dentro.

Infelizmente, muita gente não experimenta muito prazer. Algumas razões para isso são gerais. Como escreveu Søren Kierkegaard, "muitos vão com tanta sede ao pote em busca do prazer que passam correndo por ele". Em culturas com estilo de vida acelerado, é preciso um esforço intencional para desacelerar e se deleitar com um prazer. Outras razões são mais individuais. Veja se alguma delas se aplica a você. A pessoa pode acreditar em algo como "meu papel é garantir que os outros se divirtam, não eu". Ou pensar: "Como ouso desfrutar isso enquanto tanta gente está sofrendo?" Ou pode haver inibições em sentir determinados prazeres, talvez por estarem associados à vergonha.

Se encontrar dentro de você um bloqueio ao prazer, é possível superá-lo usando as três maneiras de envolver a mente:

- **Deixe estar:** explore o bloqueio com atenção plena e autocompaixão; tenha curiosidade de saber como ele se desenvolveu.

- **Deixe ir:** relaxe qualquer tensão corporal ligada ao bloqueio; questione opiniões e crenças associadas a ele (descubra por que estão erradas); decida conscientemente que não quer ser controlado pelo bloqueio.
- **Deixe entrar:** repita para si mesmo ideias que contradizem as crenças associadas ao bloqueio (por exemplo, "também mereço ter prazer"); imagine como seria bom se permitir ter mais prazer.

Talvez simplesmente pareça que não há possibilidade de ter prazer numa vida cheia de dor. Mas, se puder aceitar a existência da dor – aproveitando a atenção plena, a autocompaixão e outros recursos interiores para ajudá-lo a suportá-la –, você abrirá mais espaço para o prazer. Sua atenção não ficará tão presa em resistir à dor, e você estará livre para reconhecer e aproveitar todo o resto.

Ter prazer, em si, é uma expressão da capacidade de ação. Mesmo no pior dos momentos, há oportunidade de usufruir de prazeres simples: um gole d'água quando a boca está seca, o canto de um pássaro num momento de tristeza, a lembrança de um ato de bondade, uma flor nascendo numa rachadura do asfalto. Nunca esquecerei a visita que fiz a uma casa de repouso para pessoas com grave deficiência no desenvolvimento. Quando passei por uma porta, um rapaz deitado numa maca no corredor, incapaz de andar e com um QI estimado em 20, me abriu um sorriso incrivelmente radiante, trêmulo de deleite com o prazer de ver um rosto humano.

O diário do prazer

Quanto mais difícil a vida, mais importante é vivenciar e internalizar recursos psicológicos – inclusive a sensação de prazer. Um ótimo jeito de fazer isso é criar um diário do prazer, seja em papel ou apenas na sua cabeça.

Pense em alguns dos muitos prazeres sensoriais que você pode ter hoje. Contemplar um quadro, ver rostos, sentir a textura de pedras. Música, o som de água correndo, de risos. O sabor de frutas, chá, queijo. Tocar um tecido macio, a mão de uma criança, um travesseiro. Sentir o aroma de uma laranja, de canela, de uma rosa, de curry. Sentir prazer no movimento, ao se alongar, andar, correr.

Pense também nos prazeres íntimos ou emocionais, como terminar um jogo de palavras-cruzadas ou aprender algo interessante. A meditação e a oração podem ser profundamente agradáveis. Colocar alguma música ou preparar um prato novo para o jantar, também. É agradável aceitar-se e deixar irem pensamentos e sentimentos dolorosos.

E, é claro, há os prazeres sociais. Rir junto com alguém, brincar com um bebê, realizar algo em equipe, entender melhor outra pessoa – tudo tão bom! Alguns prazeres mais profundos são morais: o sentimento de integridade, saber que você fez a coisa certa quando era difícil.

À medida que o dia avança, ressalte deliberadamente as oportunidades de prazer. Numa folha de papel, você pode fazer a lista dos prazeres que experimenta – e é provável que tenha uma alegre surpresa com a quantidade de itens, na hora de se deitar. Ou simplesmente reserve alguns minutos antes de dormir para examinar o dia e recordar alguns de seus muitos prazeres.

SENTINDO-SE BEM-SUCEDIDO

Há uma arquitetura de metas dentro de nós que abrange desde processos regulatórios microscópicos em cada célula até nossas aspirações mais elevadas. A vida é inerentemente voltada a metas. Atingir uma meta é uma experiência agradável, que diminui o estresse e constrói motivação positiva. Ela nos assegura que estamos fazendo progresso, o que nos ajuda a permanecer no modo responsivo – na zona verde – ao longo do dia. Há metas de resultado, como se levantar da cama pela manhã, chegar a um bom entendimento com alguém no trabalho e lavar a louça depois do jantar, e há metas de processo – valores e objetivos constantes –, como ser sincero, aprender, crescer e cuidar da saúde.

Se você pensar bem, verá que a cada hora estará cumprindo muitas metas de resultado e de processo. Por exemplo, ao atravessar uma sala, cada passo é uma meta. Pode soar trivial, mas, para a criança que aprende a andar, cada passo é uma vitória. Numa conversa, cada palavra entendida e cada expressão facial decifrada é uma meta cumprida. No trabalho, cada e-mail lido, cada texto enviado e cada informação apresentada numa reunião é uma meta cumprida.

Por ser repleto de metas grandes e pequenas, cada dia é recheado de oportunidades para absorvermos experiências de sucesso no cumprimento de metas. Isso constrói uma noção interior de sucesso, o que nos ajuda a aguentar críticas e reduz a dependência da aprovação dos outros. Boa parte da arrogância e da altivez que as pessoas demonstram é uma compensação dos sentimentos intrínsecos de fracasso e inadequação. Em consequência, sentir-se bem-sucedido internamente ajuda as pessoas a ficarem mais leves e a se levarem menos a sério. Essa sensação torna-se perene a partir da internalização de diversas percepções desses pequenos sucessos – e não de ter um grande troféu lá fora, como um carro de luxo na garagem.

Sentimentos de fracasso

Todos cumprimos incontáveis metas de resultado e de processo por dia, mas muita gente não se sente tão bem-sucedida. Uma das razões é o viés da negatividade. Os alarmes internos disparam quando não cumprimos metas, e a liberação de dopamina se reduz no cérebro, criando uma sensação ruim e aumentando a ansiedade, a tensão e a sensação de que precisamos fazer alguma coisa. Por outro lado, não reconhecemos muitas das metas que cumprimos. Podemos ficar desatentos ou dessensibilizados ao realizar uma tarefa atrás da outra ou tão concentrados no que está acontecendo do outro lado da rua que passamos voando pela linha de chegada, na pressa de começar a próxima corrida.

Ao reconhecer uma realização, com que frequência você sente o sucesso, mesmo que só por um momento? É comum bloquear sentimentos de sucesso por medo do ridículo, e também temos medo de sermos punidos se nos destacarmos ou se nos considerarmos especiais. Quando tem a sensação do sucesso, você desacelera para assimilá-la e embuti-la em seu sistema nervoso? O número de fracassos reais na vida de qualquer um é minúsculo quando comparado ao número imenso de metas cumpridas. Mas os fracassos são destacados pelo cérebro, associados a sentimentos dolorosos e armazenados fundo na memória. Isso expulsa a sensação legítima e merecida de ser uma pessoa realizada e bem-sucedida.

O medo do fracasso aumenta quando a pessoa cresce cercada por críticas, mesmo quando também desfruta de muito amor. Esse medo também aumenta quando fazemos parte de uma empresa – ou, mais amplamente, de uma economia – que coloca as pessoas numa roda-viva, em que o sucesso real está sempre um pouco fora do alcance. Ganhou seu primeiro dólar? Vamos para os primeiros mil. Ganhou mil dólares? Bom, então ganhe 10 mil. Foi promovido? Queira mais. Venceu o campeonato? É melhor ser bi ano que vem. Trabalhe mais, fique até mais tarde, dê 110%... mas nunca é suficiente. A meta fica cada vez mais longe.

O medo de ser um fracassado pode motivar tanto uma criança quanto o CEO de uma empresa, mas, a longo prazo, esse sentimento negativo desgasta as pessoas e reduz o desempenho. Sentir-se razoavelmente bem-sucedido *já é suficiente* para ajudar as pessoas a mirarem algo mais, a se recuperarem de reveses, a dar o melhor de si.

Como, na verdade, você pula de sucesso em sucesso centenas de vezes por dia, é simplesmente justo sentir-se bem-sucedido.

Sucesso cotidiano

Tente dar destaque a algumas das muitas metas que você cumpre diariamente. Preste atenção ao *sucesso em pequenos resultados*, como preparar uma refeição, pôr papel na impressora ou ler para uma criança. Geralmente, produzir um único resultado pequeno – digamos, tomar uma colherada de sopa – envolve muitas realizações menores, como segurar a colher, mergulhá-la no prato, levá-la aos lábios sem derramar, pôr a sopa na boca e devolver a colher à mesa. Qualquer uma dessas pequenas realizações é uma oportunidade para se sentir bem-sucedido.

Observe o *progresso rumo a grandes resultados*, como criar filhos para serem adultos independentes, passar nas matérias para conseguir um diploma ou poupar para a aposentadoria. Cada passo pode ser curto, mas, conforme as horas, os meses e os anos se acumulam, é bom perceber que você percorreu uma grande distância.

Reconheça que *continua a cumprir metas de processo em andamento*. Considere que permaneceu íntegro e agiu do modo adequado em casa e no trabalho. Pense também em alguns desastres que você evitou hoje: nenhuma queda no banheiro, nenhum incêndio em casa. Esse é um tipo de sucesso que realmente merece apreciação.

Mesmo quem leva uma vida dificílima tem meios de se sentir bem-sucedido de várias maneiras. Quanto mais você se sentir derrotado em algumas situações, mais importante é reconhecer a vitória em outras. Quando tiver uma experiência de sucesso, abra-se a ela e a receba por completo, usando os passos SARE. Experimente a prática a seguir para tirar dela uma sensação rica e concreta.

SENTINDO-SE BEM-SUCEDIDO

Respire fundo algumas vezes e relaxe. Tenha a sensação de estar a seu favor. Traga à mente algumas pequenas metas de resultado que já alcançou hoje, como se levantar da cama, beber água e cumprir tarefas em casa ou no trabalho. Ajude a si mesmo a se sentir bem-sucedido por realizá-las. Abra-se a sentimentos relacionados de prazer, tranquilidade e valor. Amplifique essas experiências sustentando-as, sentindo-as no corpo, reconhecendo o que elas têm de importante. Receba essas experiências sentindo-as inundar você, tornar-se parte sua, concentrando-se no que há de agradável nelas.

Reconheça o progresso rumo a grandes resultados, como ao plantar um jardim, fazer um novo amigo ou preparar-se para uma promoção no trabalho. Deixe esse reconhecimento se tornar uma experiência de sucesso e traga isso para dentro de você.

Tome consciência de cumprir metas de processo contínuas, como ainda respirar, continuar vivo, ser afetuoso e imparcial, esforçar-se, gozar a vida. Abra-se para a sensação de sucesso e para sentimentos relacionados, como o contentamento.

Enquanto vivencia a sensação de sucesso, você pode usar o estabelecimento de ligações para conectá-la ao "material negativo", como decepções, preocupações, tensão, inquietação e sensação de inadequação. Mantenha a sensação de sucesso em destaque no primeiro plano da consciência e afaste o material negativo se ele o agarrar. Imagine o material positivo fazendo contato com o negativo, infiltrando-se nos lugares de frustração lá dentro, talvez chegando a experiências de fracasso ocorridas quando você era mais jovem. Deixe a sensação de sucesso acalmar, aliviar e trazer um ponto de vista mais distanciado do material negativo. Quando terminar, deixe ir tudo o que for negativo e simplesmente se concentre na sensação de sucesso.

SENDO FELIZ PELOS OUTROS

Pense numa ocasião em que você viu uma criança rir, ouviu uma boa notícia de um amigo ou soube que um colega de trabalho havia se recuperado de uma doença grave. O sentimento de estar feliz pelos outros, às vezes chamado de alegria altruísta, tem bases em nossa longa história como seres sociais. Nossos ancestrais caçadores e coletores, que viviam juntos em pequenos bandos, prosperavam quando aqueles com quem estavam também prosperavam. Em consequência, sofremos grande pressão evolutiva para desenvolvermos tanto a compaixão pelo sofrimento alheio quanto a felicidade por sua sorte. Às vezes concorremos por recursos finitos e escassos, como na candidatura a uma vaga de emprego, mas, se a situação for razoavelmente justa, podemos ter espírito esportivo e respeitar o sucesso dos outros. Em boa parte dos aspectos da vida, todos podem sair vencedores. Afinal, a boa saúde, o casamento estável e os filhos em pleno desenvolvimento de alguém não impedem que outra pessoa tenha o mesmo tipo de situação ou experiência.

Aquela felicidade que está sempre disponível

Parafraseando o Dalai Lama: *Se puder ser feliz quando os outros estão felizes, você sempre poderá ser feliz, pois sempre há alguém feliz em algum lugar.* É mais fácil se sentir contente ou alegre por parentes, amigos e outros que o trataram bem, mas também é possível experimentar o mesmo em relação a meros conhecidos e até por desconhecidos. Você pode se sentir feliz por indivíduos e grupos próximos ou distantes, por animais de estimação e, na verdade, por qualquer ser vivo.

Assim como há muitos tipos de pessoas, há muitos tipos de eventos felizes. Você pode ficar contente pelos acontecimentos recentes na vida de alguém ou satisfeito com condições constantes, como saúde, prosperidade e uma família amorosa. Ao conhecer uma criança, basta pensar em quanto ela está aprendendo a cada dia. Talvez a situação de alguém importante para você esteja melhorando. O simples fato de as pessoas estarem vivas é razão suficiente para você ficar feliz por elas.

Pense numa ocasião em que alguém realmente ficou contente por você – talvez você tenha sido promovido ou descobriu que um possível problema de saúde não era nada – e veja se consegue se lembrar de que modo isso o comoveu. Vire ao contrário: o apoio, o reconhecimento e os bons votos que lhe foram dados são exatamente o que você dá aos outros quando fica feliz por eles.

A alegria altruísta beneficia você e aos outros ao mesmo tempo, além de abrir o coração e trazer uma sensação de conexão positiva com um mundo mais amplo. Os outros sentem o mesmo quando você fica feliz por eles, o que fortalece e aprofunda os relacionamentos.

Um antídoto à decepção e à inveja

Quando andamos pelas ruas movimentadas das metrópoles, é fácil esquecer que o ambiente social natural do ser humano se limita a cerca de cinquenta pessoas. Foi assim que vivemos a maior parte do nosso tempo como espécie e que nossos ancestrais hominídeos fabricantes de ferramentas viveram, mais de 2 milhões de anos antes disso. Em consequência, desenvolvemos cérebro e mente projetados para um ambiente muito específico: grupos bem pequenos.

Seja o grupo uma tribo da Idade da Pedra, uma turma do oitavo ano ou colegas de escritório, é importante saber a posição de cada um em relação aos outros. Portanto, nos medimos em relação a amigos e rivais. Ficamos tranquilos e sentimos que temos valor quando nos saímos melhor do que eles, mas tendemos a nos sentir mal quando parece que não. Nas mídias sociais, comparamos o filme completo da nossa vida – cujas falhas conhecemos dolorosamente bem – com os trailers cuidadosamente editados da vida dos outros, e é fácil nos sentirmos decepcionados, diminuídos e invejosos.

Sentir felicidade pelos outros é o antídoto natural contra esses sentimentos. Ela pode nos tirar as preocupações amargas ou o excesso de autocrítica e mudar nosso estado de espírito numa direção positiva. Mas pensar na felicidade dos outros pode provocar comparações dolorosas que bloqueiam nossa alegria por eles. Para atravessar esse bloqueio, comece reconhecendo as bênçãos que você recebeu, as alegrias que teve, as coisas que realizou e as contribuições que deu aos outros. O que há de bom em sua vida continua bom, mesmo que outra pessoa tenha algo ótimo. E saiba que pessoas afortunadas também sofrem. Como todo mundo, enfrentam doença, morte e perdas inevitáveis. Lembre-se: o que acontece na vida de qualquer pessoa é uma pequena marola num oceano de causas. A maioria dessas causas é impessoal, como a sorte na loteria do DNA ou a classe social dos pais. Isso significa que você não precisa levar seus altos e baixos tanto para o lado pessoal.

Comece com as pessoas por quem é fácil ficar feliz. Quando se sentir contente com a boa sorte delas, desacelere e assimile isso. Depois, experimente com outras pessoas. Repita isso várias vezes e desenvolverá o hábito de ficar feliz pelos outros – uma forma generosa de encontrar felicidade confiável.

PONTOS-CHAVE

- Buscamos nos sentir bem no futuro, o que, no entanto, é estressante no presente. É doloroso, mas a busca pela felicidade pode deixá-la fora do alcance. Já a gratidão nos faz sentir algo bom na mesma hora.
- Agradecer pelo que é benéfico não nos impede de ver o que é prejudicial. Na verdade, a gratidão sustenta a saúde física e mental e nos torna mais resilientes e mais capazes de lidar com os desafios.

- É fácil desdenhar o prazer, mas ele é um modo rápido de reduzir o estresse ou esquecer um aborrecimento. Os prazeres saudáveis afastam os prejudiciais. Quanto mais se sentir pleno de prazer, menos você se esforçará para obtê-lo fora de si.
- Devido ao viés da negatividade, notamos quando deixamos de cumprir uma meta, mas não vemos que, ao mesmo tempo, temos sucesso em centenas de outras. Procure oportunidades de se sentir bem-sucedido muitas vezes por dia. Assimile essas experiências e as use para compensar e curar sentimentos de fracasso ou inadequação.
- Quem consegue ser feliz com a felicidade dos outros encontra a felicidade duradoura.

CAPÍTULO 6

CONFIANÇA

*Pessoas demais
supervalorizam o que
não são e subvalorizam
o que são.*

MALCOLM FORBES

Quando comecei a escrever este livro, um casal de amigos teve uma filha, que agora já está grandinha e anda animadamente por toda parte. Os pais tomam cuidado para ela não se machucar e só lhe dão o auxílio necessário para alcançar o que estiver tentando tocar ou provar. Caso caia e chore, eles são solidários e tranquilizadores. Antes do primeiro aniversário, a pequena vivenciou milhares de breves interações nas quais os pais foram prestativos e incentivadores e ela se sentiu capaz e feliz. A essência dessas experiências se entranhou em seu sistema nervoso, construindo recursos para satisfazer sua necessidade de conexão.

Para todos nós, esse processo de aprendizado continua durante a infância e a idade adulta. Além dos pais, o processo envolve irmãos e colegas, professores e chefes, amigos e inimigos. Se correr razoavelmente bem, adquirimos com ele a sensação de sermos bem cuidados e valiosos, e passamos a ter uma tranquilidade que nos ajuda a enfrentar desafios, principalmente em relacionamentos. Desenvolvemos confiança em nós mesmos, nos outros e no mundo. No entanto, quando há reprovação e rejeição de mais e incentivo e apoio de menos, a pessoa tende a não ter confiança e a ser insegura, autocrítica, instável e menos resiliente.

Para cultivar a potencialidade interior da confiança, começaremos fundamentando esse ponto na evolução do cérebro social e nos efeitos dos estilos de apego seguro e inseguro. Assim, vou examinar como se sentir mais seguro no âmago do seu ser e manter a tranquilidade do equilíbrio emocional. Terminaremos explorando como enfrentar a crítica interior e fortalecer a noção de amor-próprio.

O CÉREBRO SOCIAL

Nossos relacionamentos e seus efeitos resultam da longa e lenta evolução do cérebro social desde o surgimento dos mamíferos. Ao contrário da maioria dos répteis e peixes, os mamíferos criam os filhotes, frequentemente se unem a um parceiro – às vezes, pela vida inteira – e vivem em várias formas de cooperação com outros de sua espécie. Para administrar a complexidade da vida social, eles precisavam de mais processamento de informações e, portanto, de cérebros mais potentes. Proporcionalmente ao tamanho do corpo, os mamíferos em geral têm um cérebro maior do que os répteis e peixes. E só eles têm o neocórtex com seis camadas, envolvido pela folha fina de tecido que é a "pele" externa do cérebro e a base neural de experiências complexas, da comunicação e do raciocínio.

As funcionalidades sociais permitiram aos mamíferos prosperar numa variedade extraordinária de ambientes – focas nas águas da Antártica, camundongos em desertos quentíssimos, morcegos em cavernas sem luz – e levaram um mamífero específico a se tornar a espécie dominante no planeta. Numa espiral evolutiva, os benefícios do relacionamento interindividual para a sobrevivência de nossos ancestrais primatas e humanos estimularam o desenvolvimento de um cérebro mais "social", que permitiu relacionamentos ainda mais complexos, que, por sua vez, exigiram um cérebro ainda mais capaz. Por exemplo, quanto mais social a espécie de primata, maior é o grupo de limpeza corporal; quanto mais complexas as alianças e rivalidades, maior é o córtex. Desde que nossos ancestrais hominídeos começaram a usar ferramentas para fazer mais ferramentas, há cerca de 2,5 milhões de anos, o cérebro triplicou de volume. Boa parte desse aumento se dedica a funcionalidades com relevância social, como empatia, linguagem, cooperação, compaixão e julgamento moral.

À medida que o cérebro aumentava, a infância se prolongava. O cérebro de um chimpanzé recém-nascido tem metade do tamanho do cérebro de um chimpanzé adulto – mas o cérebro do bebê humano tem só um quarto do tamanho a que finalmente chegará. Os cérebros dos hominídeos e dos primeiros humanos precisavam de mais tempo para amadurecer por completo, o que ampliou a dependência entre filhos e mães. Uma mãe hominídea ou humana primitiva que cuidasse do filho teria menos capacidade de encontrar alimento, fugir de predadores ou se defender, portanto precisava confiar nos outros – no parceiro, na família ou no bando. Isso levou à evolução da união do casal humano, ao envolvimento dos pais na criação dos filhos e ao desenvolvimento de toda a aldeia necessária para criar uma criança.

Depender de outras pessoas pode parecer uma fraqueza, mas é uma das nossas maiores potencialidades. Espalhados por todos os cantos do globo e mesmo chegando à Lua, os seres humanos se tornaram absurdamente bem-sucedidos por dependerem uns dos outros: as crianças dependem dos pais, os pais dependem um do outro, a família depende da comunidade e a comunidade, dos muitos adultos que não estão criando filhos.

A raiz da palavra "confiante" significa "fiar-se, ter fé". Quando podemos depender dos outros, desenvolvemos confiança neles, além de fé em nosso próprio valor. Mas quando não podemos depender dos outros, é normal desenvolvermos a nosso respeito uma sensação de inadequação, dúvida e até de vergonha. Isso é ainda mais verdadeiro na infância, quando dependemos mais dos outros e somos mais afetados pelas experiências negativas.

APEGO SEGURO E INSEGURO

Em termos físicos, nossa vida depende de obtermos ar, água e alimento. Além disso, temos que conseguir *suprimentos sociais*, principalmente na infância, quando precisamos de muita empatia, cuidados e amor. É de nossa natureza biológica necessitar sentir-se cuidado. Na verdade, precisamos sentir que merecemos que cuidem de nós. Para algumas crianças e adolescentes, essa necessidade é bem satisfeita. Para outros, nem tanto. A necessidade de uma pessoa jovem recai sobre pais, irmãos e colegas de escola, que têm necessidades e problemas próprios. Toda criança pergunta a diversas pessoas, várias vezes, de forma natural e implícita: "Você me vê?", "Você se preocupa comigo?", "Você vai me tratar bem?". A psique é construída de baixo para cima a partir dos resíduos de incontáveis experiências, e as camadas de sustentação se formam nos primeiros anos de vida.

No segundo aniversário da criança, o efeito cumulativo de muitas experiências com cuidadores geralmente se aglutina num *estilo de apego* fundamental. Na escola, as interações são configuradas pelo estilo original de apego e tendem a reforçá-lo. A menos que haja uma grande mudança – como um crescimento pessoal significativo –, esse estilo continua a operar bem no fundo de importantes relacionamentos adultos, principalmente os íntimos.

Para simplificar as conclusões de diferentes e aprofundadas pesquisas: quando os pais e outros cuidadores são amorosos, generosos, atenciosos e hábeis, fornecendo de maneira confiável um fluxo "suficientemente bom" de suprimentos sociais, as crianças desenvolvem o *apego seguro*. Elas sentem que são amadas e valorizadas, além de serem capazes de se consolar e se controlar. Pessoas com essa base segura internalizada conseguem explorar o mundo, tolerar separações e se recuperar de mágoas e decepções. Ficam à vontade para dizer como se sentem e o que querem, pois tiveram muitas experiências em que isso correu razoavelmente bem. Não se agarram aos outros nem os rechaçam. Lá no fundo, têm uma sensação básica de satisfação da necessidade de conexão, e seu sistema de apego está centrado no modo responsivo. São confiantes.

Por outro lado, quando convivem com cuidadores frequentemente indisponíveis, insensíveis, frios, punitivos ou agressivos, é provável que as crianças desenvolvam *apego inseguro*. As pessoas com esse tipo de apego tendem a se sentir inadequadas, pouco valorizadas e inseguras quanto à sua importância para os outros. Por sua história pessoal, têm dúvidas se os outros são realmente atentos, capazes de apoiá-las e dignos de confiança. Em consequência, tendem tanto a se agarrar aos outros quanto a manter distância e não esperar muito deles. Por terem recebido relativamente pouco cuidado, são menos capazes de sentir compaixão por si mesmas. Como internalizaram desdém e rejeição, são extremamente autocríticas e, em consequência, menos resilientes e menos capazes de lidar com o estresse e reveses. Lá no fundo, a necessidade de conexão não parece suficientemente satisfeita, e elas tendem a entrar no modo reativo em seus relacionamentos.

SEGURO NO ÂMAGO DO SER

Os modelos conceituais precisam de distinções nítidas, mas a realidade é mais complexa. Os estilos de apego seguro e inseguro são as extremidades de uma linha contínua, como um espectro de cores, com verde-vivo numa ponta, vermelho-vivo na outra e várias tonalidades no meio. Seja qual for o ponto onde você se encontra nessa linha, é possível se deslocar rumo a uma sensação maior de segurança, tanto em relacionamentos específicos quanto com as pessoas em geral. A *plasticidade* do sistema nervoso, que torna tão fácil sermos afetados por más experiências de relacionamento, também permite que nos curemos e cresçamos ao estabelecer boas relações, e que nos tornemos, com o tempo, mais seguros – mais centrados na zona verde com os outros.

Assimile o sentimento de que se preocupam com você

As experiências atuais podem não ter tudo o que teria sido bom recebermos quando éramos crianças ou mesmo já adultos, mas pelo menos podem oferecer parte do que falta. Há cinco formas principais de cuidado, com intensidade crescente: ser incluído, visto, apreciado, querido e amado. Cada uma delas é uma oportunidade de sentir que se preocupam conosco. Com o tempo, internalizar repetidamente essas experiências pode construir uma base para o apego seguro.

No decorrer do dia, procure os pequenos momentos em que outra pessoa se mostre interessada, amistosa, grata, empática, respeitosa, afetuosa ou amorosa. Nesse relacionamento, podem estar acontecendo outras coisas que não sejam tão positivas, mas, mesmo assim, o que é bom para você é real. Use os passos SARE para transformar o reconhecimento de que se preocupam com você numa experiência com a qual pode permanecer durante algumas respirações ou mais, trazendo-a para seu interior. Na maioria das vezes, isso será rápido e suave, embora você também possa ter experiências mais intensas, como uma sensação profunda de proximidade com seu parceiro. De experiência em experiência, de sinapse em sinapse, você estará cultivando em si um ponto de apoio em que se sente valorizado, querido e amado: uma base sólida para a confiança real. E, para uma experiência mais longa e sustentada, tente a prática a seguir.

SENTIR QUE SE PREOCUPAM CONOSCO

Pense nas pessoas importantes para você. Observe como é se preocupar com elas. Pense em algumas boas maneiras que as levariam a se sentir queridas. Pense também como é bom se sentir querido e que desejar isso é normal e correto.

Pense nas pessoas que se preocupam com você hoje ou que se preocuparam no passado. Podem ser indivíduos, grupos, animais de estimação ou uma consciência espiritual. Qualquer forma de afeto conta. Reconheça o *fato* de que atualmente há quem se preocupe com você de várias maneiras e que antes também havia. Deixe o reconhecimento desse fato se tornar uma experiência de se sentir incluído, visto, apreciado, querido, amado.

Concentre-se na sensação de que se preocupam com você. Se outros pensamentos e sentimentos surgirem, desligue-se deles e retorne sua atenção a ela. Amplifique essa experiência protegendo-a e permanecendo com ela. Sinta-a no corpo, talvez com a mão no coração. Observe o que há de tranquilizador, confortável ou agradável nessa experiência.

Se quiser, use o estabelecimento de ligações para conectar essa sensação de que se preocupam com você ao sentimento de ser deixado de fora ou maltratado, de inadequação ou de vergonha. Imagine que está recebendo cuidado em áreas imaturas, sensíveis e ansiosas dentro de você. Absorva o cuidado como um bálsamo calmante para mágoas e feridas. Saiba que você merece que se preocupem com você; deixe esse conhecimento se espalhar por dentro, como a luz avançando sobre as sombras da dúvida. Como sempre ao estabelecer ligações, enfatize o material positivo, afaste o negativo se for forte demais e termine concentrando-se apenas no positivo.

Desenvolva uma narrativa coerente

Uma pesquisa mostrou que as pessoas que tinham um apego inseguro quando crianças podem desenvolver um apego seguro depois de adultas. Um passo fundamental para isso é desenvolver um relato realista, integrado e "coerente" do que aconteceu durante a infância e como isso o afetou. É um processo gradual que pode levar muitos meses ou mesmo anos. Venho refletindo há muito tempo sobre minha infância, e hoje já consigo ver com mais clareza o que aconteceu.

Imagine como uma pessoa imparcial e afetuosa contaria a verdadeira história da sua infância, ano a ano, desde seu nascimento até você sair de casa. Pense em seus pais e outras pessoas influentes em sua vida como indivíduos complexos, com diversas peças interiores que os puxam em várias direções. Tente ver dor, perda, tensão, maus-tratos ou traumas pelo que eram e pelo modo como o atingiram. Também tente ver o amor, a amizade, o afeto, a lealdade e o apoio que você recebeu. Tome certo distanciamento e pense na passagem dos anos, tudo o que aconteceu, como você reagiu por quê. Observe como sua infância e sua adolescência naturalmente deixaram marcas. Veja as potencialidades que se desenvolveram e as feridas.

Sentindo compaixão por si mesmo, tente ser objetivo a respeito de toda a história da sua infância. Procure nela a humanidade comum, os fios dessa humanidade compartilhados com os outros. Por mais fragmentada ou perturbadora que tenha sido sua experiência, você consegue encontrar segurança num entendimento claro e coerente dela. Para refletir sobre sua infância de maneira estruturada, experimente a prática a seguir.

REFLETINDO SOBRE A INFÂNCIA

Adapte esses questionamentos à sua história de vida. Você não terá recordações específicas para as indagações, mas talvez perceba no corpo alguma sensação ou intuição que indique a resposta. Pode ser que você também tenha um bom palpite com base no que sabe sobre sua infância, talvez pelo que foi contado por outras pessoas. Tente levar compaixão a tudo o que for doloroso ou incômodo.

Como foi seu o primeiro ano de vida? Você nasceu prematuro? Teve problemas de saúde? Seus pais eram sensíveis às suas necessidades? Quando você chorava, o que acontecia? Algum dos seus pais foi afetado por depressão, alcoolismo ou problemas de relacionamento?

Como foi aprender a andar? Como foi seu primeiro ano na creche ou na escola? Quando você dizia não, como seus pais reagiam? Se tinha irmãos, como isso o afetou? Qual era o tipo de relacionamento entre seus pais e como isso repercutia na família?

Como foi sua vida escolar? Você se sentia popular? Que tipo de amigos tinha? Você se sentia incluído? Sofreu bullying? Como foi sua adolescência? Você se sentia confiante ou inseguro? Como as mudanças no corpo o afetaram socialmente? Como era sua relação com seus pais? Você se sentia protegido e apoiado por eles?

Olhando para o passado, o que mais o afetou? Talvez um divórcio, mudanças frequentes de casa, problemas financeiros, doenças graves ou morte na família, um irmão com deficiência ou condições de pobreza ou preconceito? Algo traumático lhe aconteceu, como abuso, acidentes ou perdas trágicas? Havia alguém que o protegesse ou cuidasse de você de forma especial, como avós, professores ou amigos próximos?

Como tudo isso afetou sua vida e seus relacionamentos? Algo ainda o afeta atualmente?

Ajude os outros a se apegarem a você de forma segura

Uma descoberta incrível ao me tornar pai foi que amar meus filhos não fez bem só a eles. Ser pai também curou lentamente as feridas e o vazio dentro de *mim*. É quase mágico: ao dar o que não recebemos, recebemos algo bom.

Alguns relacionamentos são relativamente superficiais, enquanto outros são muito profundos, como a ligação com um parceiro de uma vida inteira. No contexto de qualquer relacionamento, as pessoas podem se sentir seguras ao seu lado caso você seja confiável, empático e atencioso. Mesmo que tenham de lidar com as próprias formas de apego inseguro, ao menos você estará fazendo sua parte. Isso aumenta a probabilidade de que os outros o tratem razoavelmente bem, dando-lhe oportunidade de ter e internalizar experiências que farão o núcleo seguro crescer dentro de você.

Há algo misteriosamente reparador em tratar os outros como você gostaria de ser tratado. É como consertar o que se rasgou ou se esfarrapou dentro de você. Também é uma afirmação de que, não importa o que lhe aconteceu, seu ser mais íntimo está intacto. Você ainda pode ser bom para os outros e ainda pode amar.

NÃO LANCE DARDOS

Pense numa ocasião em que alguém o maltratou e recorde sua reação imediata. Você pode ter sentido surpresa, mágoa e raiva. Então, o que aconteceu dentro da sua mente? Uma cascata subsequente de pensamentos e sentimentos é muito comum. Por exemplo, assim como eu, você pode ter passado a noite em claro pensando no que gostaria de ter dito.

Golpe duplo

Esse processo em dois passos de reação inicial e secundária foi descrito por Buda como *o primeiro e o segundo dardos*. O primeiro dardo é a inevitável dor e o desconforto físico ou emocional: a dor de cabeça, as cólicas da infecção alimentar, a tristeza de perder um amigo, o choque de ser atacado injustamente numa reunião de trabalho. O segundo dardo é o que nós mesmos lançamos, acrescentando reações desnecessárias às condições de vida e aos primeiros dardos ocasionais. Por exemplo, ficar preocupadíssimo com um pequeno mal-entendido com outra pessoa, remoer a desfeita sofrida e se agarrar a rancores e ressentimentos são segundos dardos. Segundos dardos são fontes de muito sofrimento humano, principalmente em nossos relacionamentos. Eles nos deixam mais irritados do que o necessário e nos levam a tomar atitudes que mais tarde nos trarão arrependimento.

Até certo ponto, é possível impedir o primeiro dardo, mudando as situações e os relacionamentos que nos afetam. Você talvez consiga um emprego menos estressante ou passe menos tempo com um parente difícil. Além disso, como estamos examinando neste livro, é possível desenvolver um núcleo cada vez mais sólido de paz, contentamento e amor que sirva de amortecedor interno. Então certas situações e relacionamentos que antes eram o primeiro dardo incomodarão menos – isso se incomodarem.

Ainda assim, muitos primeiros dardos ainda atingem todo mundo. Quando o primeiro dardo cai, não é possível mudar esse fato. O tijolo caiu em seu pé e doeu. Alguém gritou com você, que ficou espantado e zangado. Você sente o que sente. Quando isso acontece, é possível usar as três maneiras principais de envolver a mente. Primeiro, *deixe* a experiência *estar*, conduzindo-a atentamente, aceitando-a com curiosidade e autocompaixão. Depois, *deixe irem* a tensão e as emoções e se afaste de pensamentos ou desejos inúteis. Por fim, tente *deixar entrar* o que for benéfico, substituindo o que você liberou por algo útil ou agradável.

Treinando com segundos dardos

Enquanto isso, você pode impedir que o primeiro dardo dispare uma saraivada de segundos dardos. É aí que você pode desenvolver muita influência sobre a própria mente.

Para começar, você pode ter a sensação de ver de longe os primeiros dardos. Eles são uma parte natural e inevitável da vida e não precisamos lhes acrescentar nossa reação. Uma tempestade súbita que arruína o piquenique de domingo é desagradável e uma falta de sorte, no entanto, não adianta nada ralhar com a chuva. Aceitar o primeiro dardo como ele é serve para interromper o fluxo de segundos dardos.

Especificamente nos relacionamentos, é útil olhar de certa distância o primeiro dardo. Por exemplo, é natural se preocupar com a opinião que os outros têm de nós. É natural nos sentirmos incomodados quando nos fazem críticas; esse é o primeiro dardo. Para deixar a situação nesse estágio e não acrescentar o segundo dardo, eis uma reflexão sobre a evolução humana que tem sido muito útil para mim.

O altruísmo – dar a outros com custo pessoal – é raríssimo no reino animal. Na maioria das espécies, há quem se aproveite dos altruístas, o que reduz a probabilidade de sobrevivência de indivíduos generosos e, assim, suprime a evolução do altruísmo na espécie. O altruísmo humano – ajudar desconhecidos, pular no rio para salvar o cachorro de outra pessoa – pôde se desenvolver porque a evolução do cérebro social permitiu a nossos ancestrais entender e se importar profundamente com o que os outros pensavam deles. Quando se vive num grupo pequeno, quase passando fome, a reputação é uma questão de vida ou morte. Imagine as planícies da África 100 mil anos atrás: se você dividisse sua comida com alguém, que, no dia seguinte, se recusasse a fazer o mesmo, todos no bando ficariam sabendo e ninguém mais cederia alimentos àquela pessoa. Em consequência, os aproveitadores não conseguiriam continuar explorando a generosidade dos outros.

Damos prioridade ao que pensam de nós e, embora isso nos deixe vulneráveis a constrangimento, mágoa e vergonha, também permite o altruísmo. Do mesmo modo, nossa vulnerabilidade a solidão, inveja, ressentimento e indignação são características necessárias da natureza humana profundamente social que também nos fornece amizade, compaixão, amor e justiça.

Quando sabemos disso, o primeiro dardo dos relacionamentos faz mais sentido e não parece tão alarmante. É normal, um tipo natural de dor. Quando vemos que foram configurados por milhões de anos de evolução, os primeiros dardos não parecem tão imediatos, penetrantes e pessoais. Por mais dolorosos que sejam, estão a serviço de uma boa causa. Vivenciá-los é como fazer um pequeno sacrifício pelo bem do grupo humano.

Parta desse distanciamento em relação ao primeiro dardo para tentar trabalhar internamente as reações do segundo dardo (os próximos capítulos abordarão formas habilidosas de interagir com os outros). Respire fundo, recue e reconheça os segundos dardos pelo que realmente são: sofrimento desnecessário. Observe-os surgir e veja como tentam dominar sua atenção. Se estiver refletindo a respeito de um problema com alguém, concentre sua atenção na autocompaixão. Depois tente se concentrar na vivência de recursos básicos que sejam adequados ao problema, como trazer à mente pessoas que se preocupam com você. Se não der combustível ao segundo dardo, ele tenderá a se esgotar sozinho. Por exemplo, se você parar de reunir na sua cabeça as provas contra alguém que o prejudicou, provavelmente seu ressentimento se esvaziará como um balão de ar. Fique especificamente atento ao crítico interior, um grande lançador de segundos dardos.

RESISTA AO CRÍTICO INTERIOR

Existem duas atitudes ou "vozes" contraditórias dentro de todos nós. Uma incentiva, a outra critica; uma levanta, a outra derruba. Não há nada de psicótico nisso, é perfeitamente normal. Cada uma dessas facetas tem seu papel. O incentivador interior traz autocompaixão e estímulo. O crítico interior o ajuda a reconhecer onde errou e o que é preciso fazer para corrigir a situação.

No entanto, para a maioria das pessoas, o crítico interior exagera e lança segundos dardos, um atrás do outro, censurando, envergonhando, procurando pelo em ovo e encontrando defeitos. Ele fica grande e poderoso, enquanto o incentivador interior é pequeno e pouco eficiente, o que desgasta o humor, o amor-próprio e a resiliência. Felizmente, há boas maneiras de restabelecer esse equilíbrio, restringindo o crítico e fortalecendo o incentivador dentro de você.

Seja consciente da autocrítica

Tente observar como sua autocrítica funciona. Note qualquer desdém ou minimização de sua dor, de suas necessidades e seus direitos. Observe os pequenos fluxos de pensamento que desmerecem suas realizações: "Ah, qualquer um faria isso... mas não foi perfeito... E as outras vezes em que você estragou tudo?" Observe quaisquer dúvidas ou desestímulos repetitivos de seus sonhos e esperanças. Veja se você não está puxando o próprio tapete. Tenha consciência da raiva que volta a si mesmo, o quanto é desproporcional em relação ao que aconteceu, e escute em seu interior, percebendo qualquer tom de censura, repreensão ou tentativa de o envergonhar – como se alguém estivesse gritando com você. Reconheça qualquer atitude interior que o obrigue a sempre se esforçar mais para ser bom o bastante. Identifique qualquer autocondenação moralista exagerada: "Você deveria ter vergonha na cara, você não presta."

Enquanto observa o que acontece na sua cabeça, tente fazer uma anotação mental: "autocrítica", "dizendo que minha dor não importa", "açoitando e batendo de novo". Veja se há algo familiar nas palavras, no tom de voz ou na atitude da autocrítica. Ela lhe lembra alguém – pai, mãe, irmão mais velho ou mentor? Pense em como as atitudes autocríticas se desenvolveram dentro de você, talvez desde sua infância.

Quando você desenvolve esse tipo de consciência, pode aprender sobre si mesmo e perceber o dogmatismo, a grosseria e o absurdo de boa parte do que o crítico interior tem a dizer. Afastar-se da crítica para observá-la tira a força dela, além de ajudar você a deixar de se identificar com ela. Você pode ter críticas, mas não precisa ser o alvo delas. E, em seu cérebro, você estará associando a observação calma ao crítico interior – uma forma de estabelecer ligações –, o que pode torná-lo menos intenso e mais sensato.

Fortaleça o incentivador interior

Quando o crítico interior começa a martelar, o incentivador interior é um refúgio e um aliado. O incentivador protege e estimula quando os outros o criticam e quando ocorrem situações estressantes, frustrantes ou mesmo terríveis. É uma grande fonte de confiança e resiliência.

Desde a primeira infância, desenvolvemos o incentivador interior internalizando experiências com incentivadores *exteriores*, como pais, professores da pré-escola e outras crianças. Porém, se o incentivo exterior foi irregular ou de alguma forma prejudicado – como um pai ou mãe que seja amoroso e intensamente crítico ao mesmo tempo –, então o autoincentivo não se torna tão forte quanto deveria.

Não obstante o que tenha acontecido em seu passado, hoje você pode construir um incentivador interior usando os passos SARE para internalizar experiências nas quais os outros se preocupam com você, cultivando de dentro para fora uma noção natural e duradoura de autocuidado. Além disso, quando cuidar de si – por exemplo, ao dizer a si mesmo que um pequeno erro não é o fim do mundo –, assimile essas experiências, que fortalecerão seu incentivador interior.

Pode parecer bobagem, mas é possível imaginar um "comitê cuidador" dentro de você, com personagens diferentes que representam vários tipos de apoio e sabedoria. Meu comitê cuidador inclui minha esposa e meus filhos, guias de alpinismo rudes mas bondosos, vários amigos íntimos e até alguns personagens de ficção, como Gandalf de *O senhor dos anéis*, Spock de *Jornada nas estrelas* e a fada-madrinha gorducha de *Bela Adormecida*. Sério! Quem faz parte do seu comitê cuidador?

Quando o crítico interior não para ou quando a vida está difícil, convoque o incentivador interior. Conheça a sensação de tê-lo no corpo, suas atitudes, os conselhos que lhe dá. Pode começar se lembrando de alguém que cuidou muito bem de você e depois passar sua atenção para um sentimento maior de ser abrigado, consolado ou guiado. E, quando tiver uma noção do incentivador interior, concentre-se nessa experiência e receba-a: mais uma oportunidade de reforçar o incentivador dentro de si.

Refute o crítico

Assim que reconhecer o tom ou as palavras características do seu crítico interior, mantenha-se cético. Ele é culpado até que se prove inocente.

Faça uma escolha fundamental: prefere se unir a ele e acreditar nas críticas ou se separar dele e duvidar? Geralmente, seu crítico interior é mais poderoso quando você conviveu com pessoas que eram desagradáveis, desencorajadoras ou cruéis. O que lhe fizeram foi errado e não está certo você fazer o mesmo consigo.

Discuta com seu crítico interior – e pretenda realmente vencer. Escreva uma de suas frases típicas (como "Você sempre falha") e depois escreva duas ou três refutações dignas de crédito, como a menção a algumas das muitas vezes em que teve sucesso. Imagine os membros de seu comitê cuidador se levantando para defendê-lo e respondendo ao crítico. Alie-se a eles, não ao crítico. Converse consigo de forma proveitosa e construtiva, como: "Essa crítica tem uma base de verdade, mas todo o resto é exagerado ou inverídico." "Isso é o que _____ me dizia; estava errado na época e está errado agora." "Isso não me ajuda e não tenho que lhe dar ouvidos."

Tente ver seu crítico interior como alguém sem credibilidade. Você pode imaginá-lo como um personagem ridículo, como o vilão maluco de um desenho da Disney. Coloque-o dentro da mente, fora do âmago do seu ser, como aquela pessoa incômoda que sempre faz críticas nas reuniões e a quem todo mundo deixa de prestar atenção depois de algum tempo.

Use o passo de estabelecer ligações para sentir que a tranquilidade e o incentivo penetram em lugares dentro de você que foram criticados e se sentiram inadequados ou com vergonha. Sinta o alívio e a calma se espalharem dentro de você. Repouse no senso de valor próprio, na confiança e na paz.

SAIBA QUE VOCÊ É UMA BOA PESSOA

Pense em alguém que você considera uma boa pessoa. Não precisa ser um santo, só alguém que seja, em geral, decente e afetuoso. Então pense em outra boa pessoa que você conheça. Observe com que frequência você vê boas qualidades nos outros, até naqueles que não conhece bem.

Observe por outro ângulo e compreenda que a maioria das pessoas se parece com você. Elas também reconhecem, de forma rotineira, que alguém é basicamente uma boa pessoa. Na verdade, eles reconhecem que *você* é basicamente uma boa pessoa.

Deixe penetrar a ideia de que o que você sente sobre os outros, eles sentem sobre você. Sentem porque veem. Você não está enganando ninguém. Eles sabem que você tem falhas e defeitos, e isso não importa. As pessoas mais importantes da sua vida ainda acham que você é basicamente uma boa pessoa.

Você consegue se ver do modo que os outros o veem, como essencialmente bom e digno? Para muita gente, isso é bem difícil. Ver os *outros* como boas pessoas parece simples. Você até pode reconhecer racionalmente que os outros percebem suas boas intenções e seu coração afetuoso, mas se ver dessa maneira? É estranhamente difícil para a maioria. Pode parecer um tipo de tabu, algo que não é permitido. Mas por quê? Se não há problema em reconhecer a bondade dos outros e não há problema quando eles a reconhecem em você, por que é problemático reconhecê-la e defendê-la dentro de si?

No decorrer do dia, tente registrar quando os outros enxergam decência, capacidade, esforço e afeto em você – geralmente, em pequenos momentos passageiros que, mesmo assim, são reais. Reconheça também suas boas qualidades, tanto quanto você as reconheceria nos outros. Rotule-as na sua mente, como faria um observador imparcial: "esforçado", "amistoso", "admite seus erros", "habilidoso", "colaborador", "resiliente", "amoroso". Tenha consciência da integridade e do amor bem aí no fundo, mesmo que nem sempre estejam visíveis ou expressos. Deixe a confiança em seu valor inerente crescer e preencher sua mente. Deixe-a se instalar. Tente fazer isso várias vezes.

Saber no fundo do coração que você é basicamente uma boa pessoa é um verdadeiro refúgio. Sejam quais forem os altos e baixos dos seus sucessos e fracassos, dos seus amores e perdas, você pode encontrar força e consolo nisso. Independentemente de todas as realizações, de fama e fortuna, há sempre bondade no âmago de seu ser.

PONTOS-CHAVE

- Os seres humanos evoluíram para depender uns dos outros. Quando aqueles que nos cercam são prestativos e atenciosos e podemos contar com eles, principalmente na nossa infância, desenvolvemos uma noção interior de segurança e estabilidade. Por outro lado, se nos rejeitam ou se distanciam, nos sentimos inseguros e ficamos menos resilientes.
- Não importa o que lhe aconteceu no passado; você pode se tornar mais seguro. Para isso, procure oportunidades para se sentir bem e assimile essas experiências; desenvolva uma narrativa coerente sobre sua infância; seja empático e amoroso de forma confiável.
- Quando passamos por dificuldades, é comum acrescentarmos uma segunda onda de reações ao incômodo ou dor inicial. Esses segundos dardos criam grande parte do nosso sofrimento, principalmente nos relacionamentos. Tente ter consciência deles, mas sem se apegar nem alimentá-los.
- Uma grande fonte de segundos dardos é seu crítico interior. Ele tenta ser útil, porém exagera na censura e chega a humilhá-lo. Isso corrói seu amor-próprio e dificulta sua recuperação após decepções ou fracassos. Fortaleça seu incentivador interior e, depois, afaste seu crítico interior.
- Assim como você reconhece que os outros são boas pessoas, elas também o veem dessa forma. Ajude a si mesmo a saber que você é fundamentalmente uma boa pessoa. Aconteça o que acontecer, a base da autoconfiança duradoura é a certeza de que há bondade no seu coração.

TERCEIRA PARTE

GERENCIAR

CAPÍTULO 7

CALMA

*Você é o céu.
Tudo o mais...
é só o clima.*

PEMA CHÖDRÖN

Certa vez, Forrest e eu descemos de caiaque as corredeiras do rio Klamath, no norte da Califórnia. Nosso guia nos levou por trechos íngremes, onde ficamos encharcados. Foi divertidíssimo – e uma grande lição. As corredeiras eram perigosas e desafiaram nossa necessidade de segurança, mas eu me lembro do semblante do guia: cauteloso, mas seguro de si; alerta, mas relaxado enquanto administrava os riscos à nossa volta. Ele tinha *calma*, o recurso mental que nos ajuda a ficar na zona verde em momentos de dor ou de ameaça.

Todas as pessoas sentem dores físicas ou emocionais em algum momento, e muitas as vivenciam o tempo todo. Além da dor real, as ameaças vêm de muitas direções, desde os caminhões que passam perto demais do seu carro à irritação que lampeja no rosto do seu parceiro. Mesmo a busca por oportunidades pode trazer a ameaça de dor. Uma das experiências mais assustadoras da minha vida foi dizer à minha primeira namorada que a amava, sem saber como ela reagiria (ela disse que me amava também).

Quando estiver diante da dor ou da ameaça, você pode ser capaz de permanecer calmo como o guia. Mas é comum surgir a reação de *fugir, lutar ou paralisar*, com alguma combinação de:

- **Medo:** inquietação, nervosismo, preocupação, ansiedade, alarme, pânico.
- **Raiva:** exasperação, aborrecimento, irritação, indignação, fúria.
- **Desamparo:** sobrecarga, impotência, derrota, inutilidade, paralisia.

É normal sentir medo, raiva ou desamparo de vez em quando. Os problemas surgem quando essas reações são invasivas, crônicas ou prejudicam seu bem-estar, seus relacionamentos ou seu trabalho. Como a necessidade de segurança é vital, é igualmente vital gerenciar a nós mesmos para enfrentar a dor e as ameaças com calma. Para ajudá-lo, vamos explorar o relaxamento e as formas de se centrar, ver as ameaças objetivamente, sentir-se mais seguro e esfriar a cabeça. (Para os sentimentos de desamparo, volte a dar uma olhada na parte sobre capacidade de ação, no Capítulo 4.)

RELAXANDO E CENTRANDO-SE

Como disse Alan Watts, a vida "serpenteia". No corpo e na mente, as coisas mudam o tempo todo, para melhor ou para pior. Além disso, vivemos num mundo cada vez mais volátil, incerto, complexo e ambíguo, cujas ondulações passam por nós todo dia.

O estado de repouso saudável

Para se manter equilibrado enquanto corta as ondas interiores e exteriores, o sistema nervoso *autônomo* gerencia seu corpo e sua mente através dos ramos *simpático* e *parassimpático*. Pense neles como os pedais do acelerador e do freio de um carro. O sistema nervoso parassimpático de "descansar e digerir" evoluiu primeiro, antes do desenvolvimento do sistema simpático. Quando ele entra em ação, o ritmo cardíaco desacelera e o corpo se reabastece e se recupera. A ativação parassimpática extrema pode produzir uma reação intensa de paralisia, fazendo-o sentir que não consegue falar, o equivalente humano do "fingir-se de morto" de um animal. Mas a atividade parassimpática normal é agradável, com uma sensação de bem-estar centrado e relaxado.

Já o sistema nervoso simpático pisa fundo no acelerador, mobiliza o corpo para a ação e acelera o coração, lançando no sangue hormônios como a adrenalina e o cortisol. A mente acelera junto com o corpo, tornando pensamentos e sentimentos mais intensos. Como veremos no próximo capítulo, a ativação simpática é uma fonte maravilhosa de paixão e resiliência quando combinada a emoções positivas como felicidade, amor e confiança. O estado de repouso saudável do corpo e da mente envolve uma atividade parassimpática substancial com ativação simpática suficiente para manter as coisas interessantes. No entanto, quando o sistema nervoso simpático se combina a emoções negativas, como raiva ou medo, essas reações de luta ou fuga são estressantes e angustiantes. Elas sobrecarregam o corpo, a mente e também os relacionamentos.

Infelizmente, nossa cultura moderna agitada nos empurra para a aceleração do sistema nervoso simpático, oferecendo poucas oportunidades de recuperação parassimpática prolongada. Também pode haver razões individuais para a ativação simpática, como ter uma personalidade impetuosa ou estar no limite em consequência de algum trauma. Muitos sentimos estresse crônico leve a moderado, passando a maior parte do tempo numa espécie de "zona laranja".

Poderíamos desacelerar e fazer menos, o que, entretanto, é dificultado pelas exigências do trabalho e da família. Se você precisa fazer malabarismos para cumprir todas as suas obrigações, é bom manter a ala parassimpática do sistema nervoso envolvida em suas diversas atividades. Uma das melhores maneiras de fazer isso é com práticas frequentes de relaxamento.

Acalmando-se

Os ramos simpático e parassimpático do sistema nervoso são conectados como uma gangorra: se um sobe, o outro desce. Quando você relaxa, a ativação parassimpática aumenta, o que reduz a atividade simpática e os hormônios do estresse relacionados a ela. Se usar os passos SARE para internalizar experiências repetidas de relaxamento, sua sensação básica da vida terá menos pressão, ansiedade e irritação. Então, quando começar a se sentir tenso ou aborrecido, você conseguirá voltar mais depressa a um lugar calmo e centrado dentro de si.

O relaxamento vem facilmente quando estamos à vontade, como ao caminhar num bosque. Mas essa não é a única ocasião em que podemos senti-lo – ou que precisamos dele. O jogador de basquete que vai cobrar um lance livre na prorrogação precisa ser capaz de relaxar e deixar a memória muscular assumir o controle. Em situações ainda mais extremadas, como diz Adam Savage, "gente calma vive, gente tensa morre".

Aprendi isso aos 16 anos, quando quase me afoguei praticando mergulho livre no oceano Pacífico. Depois de prender a respiração o máximo que pude, tentei nadar de volta à superfície, mas não consegui passar por um canteiro de algas. Entrei em pânico e, ao tentar me soltar só consegui me enroscar mais. Estava ficando sem ar e com certeza morreria. Então, de algum lugar veio um pensamento que recordo até hoje: "Fique frio." Relaxei. Quando me debati, arranquei o *snorkel* da boca, a máscara caiu no pescoço e perdi um pé de pato. Estava embaixo d'água havia muito tempo. Ainda assim, me mexi devagar para me soltar, subindo aos poucos por cima daquelas algas alaranjadas. Finalmente me livrei e subi até a superfície brilhante e prateada para inspirar uma muito bem-vinda lufada de ar fresco. Há algumas coisas nessa experiência que não entendo direito, entre elas, quem disse "Fique frio". Mas o valor do relaxamento não poderia ter ficado mais claro.

Para estabelecer uma linha de base mais calma e de rápida recuperação depois do estresse, reserve alguns minutos para relaxar profundamente várias vezes por semana. Também procure pequenos momentos para relaxar ao longo do dia, principalmente quando a agulha do seu estressômetro pessoal começar a se aproximar do amarelo, do laranja e do vermelho. Em nossa cultura superaquecida, o relaxamento precisa ser uma prioridade consciente. Muitas coisas são calmantes e serenas, e muitas podem ser usadas durante períodos mais ou menos longos. Eis algumas maneiras boas de relaxar, e você pode usar os passos SARE para assimilar essas experiências.

Prolongue a expiração

O sistema nervoso parassimpático (SNPS) controla a expiração e desacelera o ritmo cardíaco, enquanto o sistema nervoso simpático cuida da inspiração e apressa o coração. Se prolongar a expiração, você acionará naturalmente o SNPS. Respire algumas vezes e tente contar, baixinho na mente, para fazer a expiração ficar mais longa do que a inspiração. Por exemplo, inspire contando 1-2-3 e expire contando 1-2-3-4-5-6.

Libere a tensão

Escolha uma região importante do corpo, como os músculos da mandíbula ou o diafragma sob suas costelas; leve a consciência para essa área e relaxe-a deliberadamente. Você pode se imaginar respirando nesse local ou visualizar uma luz ou energia fluindo por ela e levando a tensão embora. Se preferir, experimente o relaxamento progressivo, no qual você começa pelos pés e vai subindo até a cabeça, soltando a tensão sistematicamente em cada parte do corpo; também é possível começar pela cabeça e ir descendo.

Experimente o biofeedback

Vários produtos usam aparelhos que se prendem às roupas, ao lóbulo da orelha ou ao dedo para acompanhar a respiração e o ritmo cardíaco. Com o feedback do corpo em tempo real, você é guiado a ficar mais calmo e pode ver seu progresso com o tempo. Alguns desses produtos visam melhorar a capacidade de variabilidade da frequência cardíaca e mudar os intervalos entre batimentos que refletem em que grau o ritmo do coração desacelera quando você exala e envolve o SNPS. O aumento dessa capacidade é um sinal geral de maior ativação parassimpática e está associado a melhoras do humor, a um sistema imunológico mais forte e a maior resiliência sob estresse.

Mexa-se

Ioga, tai-chi, qigong, meditação caminhando, dança, canto e outras formas estruturadas de movimento são relaxantes e, em geral, também energizantes. Você também pode escolher uma atividade de rotina, como varrer folhas ou dobrar a roupa lavada, e fazer isso de maneira bem tranquila e calma, mantendo-se em contato com seu corpo.

Use imagens

Boa parte do nosso estresse vem de processos verbais interiores. O falatório mental se preocupa com o futuro, revive o passado e resmunga sobre o presente. Na maioria das pessoas, a base neural da linguagem fica no lado esquerdo do cérebro, enquanto o lado direito cuida das imagens e de outras formas de processamento holístico (isso se inverte em muitos canhotos). Os dois lados inibem um ao outro, e assim, quando um está mais ativo, o outro se aquieta. Em consequência, concentrar-se em imagens reduz a atividade verbal e ajuda a relaxar.

Há muitas maneiras de extrair benefícios das imagens. Você pode recordar um lugar bonito que visitou e andar por ele outra vez dentro da sua mente. Imagine-se numa situação relaxante – por exemplo, sentado à beira de um lago ou caminhando por uma estrada rural. Pense num ambiente onde se sentia bem, como na casa de seus avós, e recorde o máximo possível de detalhes. Você pode visualizar nuvens brancas fofinhas e voar alegremente por elas, como um pássaro.

RECONHEÇA A PARANOIA DO TIGRE DE PAPEL

Às vezes o medo é óbvio, provocando nervosismo ou pânico, mas em boa parte das vezes funciona nos bastidores, exercendo um poder oculto. O medo está em ação quando alguém se mantém dentro de uma pequena zona de conforto, procrastina para evitar desafios, sente-se emocionalmente inibido ou evita falar para não se destacar.

O medo é muito poderoso por ser fundamental para a sobrevivência. A maneira como vivenciamos e tentamos lidar com as preocupações aparentemente menores de hoje é configurada pela mesma maquinaria neuro-hormonal que ajudou nossos ancestrais a reagir a ameaças letais e a sobreviver mais um dia.

Os dois erros

Quando o sistema nervoso evoluiu, os animais podiam cometer dois tipos de erros:

1. Acreditar que há um tigre no mato quando não há.
2. Acreditar que não há tigre quando ele está prestes a atacar.

No mundo selvagem, qual é o custo do primeiro erro? Ansiedade desnecessária, que é desconfortável, mas não fatal. Qual é o custo do segundo erro? Uma grande chance de morrer. Em consequência, nossos ancestrais desenvolveram uma forte tendência a cometer o primeiro erro várias vezes para evitar cometer o segundo uma única vez que fosse. Por isso, somos adaptativamente paranoicos com tigres de papel.

Dessa forma, a maioria das pessoas superestima ameaças e subestima seus recursos para enfrentá-las. Essas predisposições adversas se sedimentam no fundo da alma e muitas vezes são difíceis de ver, o que as torna muito poderosas. Fui um garoto tímido e desajeitado na escola. Depois de adulto, tinha certeza de que, se me destacasse num grupo, coisas ruins aconteceriam. Demorei muito até tomar consciência dessa suposição e perceber que a maioria das pessoas não rejeita os outros nem é má.

Depois que um conceito é estabelecido, nos concentramos nas informações e experiências que o confirmam e as internalizamos; ao mesmo tempo, ignoramos e desprezamos tudo o que pode vir a contradizê-lo. Até começar a entender minhas expectativas tendenciosas sobre os grupos, as muitas vezes em que fui afetuosamente incluído "não contaram", enquanto as poucas vezes em que fui rejeitado pareciam provar que meus temores sempre se justificavam.

Ansiedade desnecessária

Obviamente, é importante reconhecer as ameaças reais e desenvolver recursos para enfrentá-las. Entretanto, a maioria das pessoas sente mais ansiedade do que é necessário ou conveniente. Tendemos a ver a nós mesmos, o futuro e o mundo que nos cerca pelo filtro do medo. Mesmo quando você sabe, racionalmente, que na verdade não há nada a temer, ainda costuma restar um pouco de ansiedade no fundo do peito, a sensação de que algo pode dar errado a qualquer instante. A ansiedade funciona como sinal de perigo, mas em boa parte do tempo é só ruído, como o alarme do carro que dispara à toa, aos berros: desagradável e sem sentido algum.

E qual é o custo disso? A ansiedade é ruim, estressante e cansativa. Atordoado por tantos alarmes falsos, é fácil deixar de ver ameaças reais, principalmente aquelas que crescem aos poucos, como a distância emocional que se infiltra no casamento. Quando estamos ansiosos, reagimos com exagero e nos tornamos ameaçadores para os outros, que então também reagem com exagero e assim confirmam nossos temores. O medo desnecessário nos faz desviar recursos das oportunidades que se aproximam para evitar ameaças exageradas. A ansiedade aumenta a defensividade, a paralisia por análise e a imobilização. Nos relacionamentos, o medo faz as pessoas se agarrarem mais a "nós" e serem mais desconfiadas e agressivas com "eles". Tudo isso nos deixa menos resilientes.

SENTINDO-SE MAIS SEGURO

O medo surge quando as ameaças parecem maiores do que os recursos. Às vezes isso é real, como ao receber uma conta inesperada que você não tem dinheiro para pagar. Mas, por causa da "paranoia do tigre de papel", as ameaças geralmente parecem maiores do que de fato são, e os recursos, menores.

Mesmo quando você percebe que o medo tem um papel irracionalmente grande na sua vida, ainda é difícil se livrar dele. Muita gente, na verdade, tem medo de não ter medo, porque aí baixaria a guarda. Então temem que – *zap!* – algo os machuque.

Para *estarmos* mais seguros, temos que reduzir as ameaças reais e aumentar os recursos reais. Para *nos sentirmos* mais seguros, precisamos parar de inflar as ameaças e começar a reconhecer todos os nossos recursos. Então não precisaremos ter medo de não ter medo.

Digamos que você esteja fazendo o possível para reduzir as ameaças reais à sua vida, ao mesmo tempo que desenvolve recursos reais para enfrentá-las. Enquanto isso, cuide para ver as ameaças com clareza, avaliar seus recursos e, com sensatez, se sentir o mais seguro possível.

Vendo as ameaças com clareza

Pense em algo que o preocupa. Pode ser uma doença, as finanças ou um conflito com alguém. Também pode ser uma área da vida na qual você se reprime para reduzir riscos, como ao evitar falar em público ou não expor o que realmente quer num relacionamento. Você pode fazer esse processo refletindo consigo mesmo, escrevendo um diário ou conversando com alguém, e pode usá-lo para diversas preocupações.

Qual o tamanho?

Seja específico e prático quanto ao tamanho do desafio. Na verdade, levante uma cerca em torno da questão para limitá-la, em vez de deixar que seja disforme e esmagadora. Por exemplo, em vez de "Minha saúde é péssima", que tal "Tenho pressão alta"? Limite a questão no espaço e no tempo. Que parte de sua vida o problema realmente afeta – e qual não é afetada? Quando é que o problema acontece – e quando não é muito relevante?

Qual a probabilidade?

Talvez você conviva com uma condição permanente, como uma doença crônica. Mas, na maior parte do tempo, ficamos ansiosos com algo de ruim que *pode* acontecer: há a ameaça de dor, porém não a própria dor. Por exemplo: "Posso adoecer" ou "Se eu exprimir raiva, ninguém vai me querer". Se aquilo que o preocupa é uma possibilidade e não a realidade, pergunte-se: "Qual é a real probabilidade?" No passado, a probabilidade de acontecer algo de ruim existia, talvez devido às pessoas com quem morava ou que conhecia na época. Hoje, a situação é diferente, e a probabilidade de um acontecimento ruim é bem menor.

Até que ponto seria realmente ruim?

Qual seria a sua *experiência* se essa ameaça se concretizasse? Digamos que você tenha medo de que alguém o rejeite ao se mostrar mais vulnerável ou assertivo. Tudo bem, suponhamos que o evento temido ocorra. O que você realmente sentiria se acontecesse? Numa escala de 0 a 10, com 10 sendo o pior absoluto e imaginável, como você se sentiria? E por quanto tempo? No passado, acontecimentos semelhantes podem ter parecido realmente horríveis, principalmente na infância, quando as coisas são sentidas com mais intensidade antes que o sistema nervoso amadureça por completo. Mas hoje em dia, depois de adulto, você tem muito mais amortecedores internos. Há uma boa probabilidade de que você não se sinta tão mal nem por tanto tempo quanto teme.

Deixe a boa notícia chegar

Deixe tudo isso ser assimilado. É real, *muito* real. Pode acreditar. Deixe-se convencer disso. Com os passos SARE, abra-se ao alívio e à tranquilidade dessa boa notícia. Absorva-a, substituindo aos poucos o alarme, a tensão e a ansiedade inúteis e excessivos.

Avaliar seus recursos

Depois, pergunte-se: dada a magnitude real daquilo que você teme, a probabilidade de que aconteça e a intensidade de seu impacto, como lidar com a questão? Suponhamos que você descubra um pneu furado no seu carro. É um incômodo, sem dúvida, mas não é um problema tão grande assim se você souber trocá-lo ou se puder chamar o reboque.

Recursos na mente

Pense em algumas das vezes em que você aproveitou potencialidade interiores como garra, confiança e compaixão para lidar com problemas. Em seguida, reserve alguns momentos para considerar como poderia aproveitar novamente essas potencialidades interiores para enfrentar o desafio atual.

Considere também os talentos e habilidades que poderia empregar. Como poderia agir diante desse problema? Que planos poderia fazer para preveni-lo, administrá-lo ou se recuperar dele? Pense em outros recursos interiores – como a atenção plena e seu bom coração – e como poderiam ser úteis.

Recursos no corpo

Como seu corpo o serviu até agora? Como pode servi-lo novamente? Veja se consegue entrar em sintonia com sua vitalidade natural. Sinta o que há de forte nela, o que há de capaz e cheio de energia. Imagine algumas maneiras de seu corpo ajudá-lo nesse desafio.

Recursos no mundo

Há muitos recursos à sua volta, como amigos, parentes e conhecidos. Como eles poderiam lhe ser úteis nesse momento? Considere tanto qualquer ajuda concreta quanto o apoio emocional. Pense num animal de estimação, se tiver; minhas preocupações sempre pareciam mais leves quando eu estava com nosso gato no colo. Se for preciso, será que você pode buscar auxílio profissional, como um médico, advogado ou contador? Pense nas coisas que você possui e considere como pode usá-las nesse desafio.

Sentindo-se rico em recursos

Enquanto reflete sobre esses recursos, deixe seus pensamentos a respeito deles se tornarem sentimentos de suficiência, tranquilidade e alívio. Use os passos SARE para amplificar e receber esses sentimentos. Se quiser, use o estabelecimento de ligações para aproveitar esses sentimentos positivos para acalmar e substituir qualquer ansiedade.

Sentindo-se o mais seguro possível

Depois de um dos meus primeiros dias de escalada, tive uma experiência esquisita quando fui dormir. De repente, de forma muito vívida, eu estava caindo do alto do penhasco, prestes a me espatifar no granito cinzento. Acordei antes de atingir o solo. Dali a alguns minutos, cochilei – e novamente me vi caindo para a morte, despertando pouco antes do impacto. Depois que isso aconteceu várias vezes, parei de tentar combater essa imagem. Quando comecei a adormecer, eu me permiti imaginar que despencava pela face do penhasco para me arrebentar lá embaixo. No instante do impacto, um tipo de lâmpada interna se acendeu. Percebi que passara o dia reprimindo todo o meu medo de cair, que agora vinha à tona. Notei que havia um ponto agradável dentro de mim no qual eu conseguia sentir a ansiedade adequada, mas também agir com eficácia e alegria – mesmo a 300 metros do chão.

É importante não suprimir o medo nem desprezar o que ele tenta lhe dizer. As preocupações sensatas são suas amigas e o livram de situações potencialmente perigosas. Contudo, ser consumido, invadido e comprometido pelo medo não deixa você em maior segurança. No mínimo, as distrações do medo excessivo e o desgaste que provocam no corpo corroem essa sensação de segurança. Um pouco de medo já faz muito efeito, e não é preciso que ele penetre em seu âmago nem que empurre você para a zona vermelha. Uma das minhas frases preferidas de Buda é: "Os sentimentos dolorosos surgem, mas não invadem minha mente nem permanecem." Use o medo; não deixe que ele o use.

E, como vimos, não há necessidade de ter muito medo. Na maior parte das vezes, as ameaças que imaginamos provavelmente não serão como achamos que são, suas consequências não serão tão ruins e teremos uma capacidade de enfrentá-las maior do que imaginamos. É como andar por aí acreditando que o mundo está no Nível Laranja de ameaça quando, na verdade, está no Nível Abacate: um balde de tinta verde com uma gota de amarelo. Se estiver prestes a cair de um penhasco (ou algo equivalente), claro, tenha medo. Fora isso, ajude-se repetidas vezes a se sentir, com sensatez, o mais seguro possível à medida que o dia avança. Para aprofundar essa experiência, use a prática a seguir.

SENTINDO-SE MAIS SEGURO AGORA

Respire fundo algumas vezes e relaxe. Esteja consciente de qualquer tensão, inquietude ou preocupação. Distancie-se de qualquer ansiedade e a observe. Deixe-a estar e deixe-a chegar e partir.

Permita que qualquer forma de medo vá para o fundo da consciência. No primeiro plano, traga à mente coisas que o protegem. Tenha consciência da solidez do chão, da estabilidade da cadeira, da proteção do teto. Tenha consciência de suas roupas, sapatos e outras coisas que o protegem. À medida que reconhece essas proteções, abra-se ao sentimento de estar cada vez mais protegido. Tenha consciência das coisas que o cercam e são protetoras, como semáforos e hospitais. Continue a se abrir ao sentimento de proteção. Permita que esse sentimento de proteção e segurança seja assimilado e passe a fazer parte de você.

Reconheça alguns dos muitos recursos da vida que podem ajudá-lo a estar em segurança, como as pessoas que lhe querem bem, que estariam com você e por você. E também seus recursos interiores, como resistência e determinação. Abra-se ao sentimento de que há muitas coisas que você pode aproveitar. Os desafios virão, mas você tem muitas ferramentas para lidar com eles. Continue a se abrir a essa sensação de maior segurança. Deixe a preocupação desnecessária se esvair. Solte toda tensão. Deixe a sensação de segurança ser assimilada e se espalhar dentro de você.

Note que, basicamente, você está bem agora. Talvez não estivesse bem no passado e pode não ficar bem no futuro, mas neste momento você está bem, protegido, dispõe de recursos. Pode haver dor, pode haver mágoa ou tristeza nas bordas da mente, mas não há ameaça mortal, nenhum tigre prestes a atacá-lo. Em termos básicos, você está a salvo, momento a momento, a cada vez que inspira o ar. Seu coração ainda bate, você continua vivendo, ainda está bem. Deixe pensamentos e sentimentos chegarem e partirem. Permaneça à vontade no limiar do agora. Você ainda está respirando bem, o momento seguinte está passando, você ainda está bem, está em segurança agora, em segurança neste momento, momento a momento, basicamente bem, bem... agora.

ESFRIANDO A RAIVA

A raiva é uma reação natural à dor, à frustração, às agressões e à injustiça. Como cresci num lar onde os pais tinham o monopólio da raiva, levei algum tempo para aprender que sentir e exprimir essa emoção era um modo importante de me aceitar e estar a meu favor. No decorrer da história do mundo, diversos tipos de pessoas – crianças, mulheres e grupos étnicos e religiosos – viram a raiva justificada que sentiam ser desdenhada ou atacada. É importantíssimo abrir espaço na mente para a raiva quando tentam bani-la.

A raiva mobiliza energia e acende um holofote sobre o que está em questão. Por outro lado, vem envolta em tensão, estresse e ameaças a relacionamentos. A raiva crônica ou frequente é fatigante; como ácido quente, corrói a saúde física e mental. De todas as emoções que exprimimos uns aos outros, essa costuma exigir mais atenção, como uma luz vermelha piscando "perigo". Então, reagimos à raiva do outro com nossa raiva, criando ciclos viciosos nos relacionamentos.

Esfriar a cabeça e reduzir a raiva não significa permitir a injustiça nem se transformar num boboca. Você ainda pode ser forte e vigoroso. Pense nas vezes em que você ou outros foram determinados, apaixonados ou assertivos sem serem tomados pela raiva. A arte é receber e usar a dádiva – as funções positivas – da raiva, tomando cuidado com a embalagem. Isso significa administrá-la e exprimi-la de maneira habilidosa, ao mesmo tempo que aborda as questões por trás dela.

Tenha consciência da raiva

A raiva costuma estar ativa no fundo da mente, e reconhecer sua presença lhe permite controlá-la em vez de se deixar controlar por ela. Tente ter consciência da raiva em seus muitos tons e intensidades, da leve exasperação à fúria violenta. Quando se sentir irritado de alguma maneira, explore a experiência, suas sensações, seus sentimentos, pensamentos e desejos. A raiva tem camadas, e sua superfície agressiva, quente e quebradiça costuma repousar sobre uma base ansiosa, vulnerável e macia de necessidades não satisfeitas – principalmente de segurança, já que é uma reação primitiva a ameaças. A raiva é mensageira. O que ela está lhe dizendo sobre suas frustrações mais profundas, seus anseios não atendidos e suas dores emocionais? Tente aceitar sua experiência e ter autocompaixão. Quando você se abre e retém esse material mais profundo, a própria raiva tende a sair.

Cuidado com as recompensas que vêm com a raiva. Há quatro tipos principais de emoções "negativas": tristeza, ansiedade, vergonha e raiva. Dessas, a raiva é a mais sedutora. A maioria das pessoas não gosta de se sentir melancólico, preocupado nem inadequado, mas o surto de energia e justa indignação que acompanha a raiva pode ser estimulante, organizador (por unir os fios da mente dispersa e identificar um alvo claro) e até agradável. A raiva também é uma maneira eficaz de esconder a mágoa e a vulnerabilidade, afirmar status e dominação, afastar o medo e compensar o sentimento de pequenez ou fraqueza. Nos relacionamentos, discutir ou implicar pode atender ao propósito de manter os outros a uma distância confortável. Um ditado descreve a raiva como uma farpa envenenada cuja ponta é coberta de mel. Passei mais horas do que gostaria de admitir provando esse mel enquanto ruminava furiosamente as injustiças sofridas. Enquanto isso, o veneno se infiltrava, me estressava e aborrecia, e me preparava para reações exageradas no futuro.

Tente estar consciente do processo de se enraivecer, que geralmente acontece em dois estágios: a *preparação* e o *gatilho*. No primeiro estágio, pequenas coisas se acumulam. Algumas são gerais, como estresse, cansaço e fome. Outras são mais específicas, como os breves momentos em que você se sente incompreendido, desdenhado ou atormentado e que, gradualmente, o sensibilizam em relação a uma pessoa específica. É como alguém passando a unha nas costas da sua mão: nas primeiras vezes, não incomoda muito, mas na centésima vez, você naturalmente se encolhe e tira a mão. Até experiências menores podem se acumular como uma pilha de fósforos ainda não acesos.

No segundo estágio, algum tipo de fagulha cai e provoca um incêndio – geralmente desproporcional ao gatilho. Por exemplo, quando nossos filhos eram pequenos e enchiam o chão de brinquedos e sapatos, eu nem notava se estivesse de bom humor; mas se estivesse cansado, no fim de um dia frustrante (a preparação) e tropeçasse num caminhão de bombeiros (o gatilho), cabum! No momento da raiva, tendemos a presumir que ela é justificada pelo que aconteceu: "Ora, é *claro* que estou furioso!" Mas, em geral, a maior parte da raiva foi alimentada pela preparação e é desproporcional ao gatilho.

Seja habilidoso com a raiva interior

No Capítulo 10, "Coragem", examinaremos como se afirmar de forma eficaz. Aqui, eu gostaria de me concentrar em como lidar com a raiva dentro da mente. Depois disso, quando você for se comunicar com os outros, provavelmente a situação melhorará.

Reconheça que a raiva o magoa

Há um provérbio que diz: zangar-se com os outros é como jogar carvões em brasa com as mãos nuas – os dois se queimam. Como a raiva pode parecer gratificante e justificada, é importante perceber quanto ela pode intoxicá-lo, sem falar das consequências para aqueles à sua volta.

Reserve algum tempo para considerar o custo pessoal da raiva para você, tanto hoje em dia quanto no passado. Pense em como ela faz você se sentir. Pense em seu efeito sobre o sono, o corpo e a saúde, sobre seus relacionamentos pessoais ou profissionais. Mesmo quando é guardada, a raiva nos devora. Você pode já ter ouvido dizer que ressentimento é como tomar veneno e esperar que os outros morram.

Depois de refletir sobre isso, decida em seu coração como quer se relacionar com a raiva e administrá-la. Decida como quer abordar suas causas subjacentes, tais como sentir dor física ou ser maltratado pelos outros. E decida como quer exprimi-la. Ajude-se a ter convicção nessas decisões e assimile essa sensação de compromisso.

Reduza a preparação

No decorrer do dia, tome consciência da preparação para a raiva e intervenha logo, da melhor maneira possível. Por exemplo, faça uma pausa para tirar o trabalho da cabeça antes de falar sobre o dever de casa com seu filho adolescente ou lembre-se de tomar cuidado com as palavras quando suas costas estiverem doendo. Reconheça quando ficar sensibilizado por uma pessoa, um ambiente ou um assunto. Se ficou, fale consigo mesmo para que essa sensação tenha menos poder sobre você. Diga "Estou irritado porque tenho que visitar meus sogros outra vez", "Estou farto de ser interrompido o tempo todo na reunião" ou "Estou frustrado porque ninguém me ajuda com a louça".

Quando a situação sair do controle, tente reagir proporcionalmente ao gatilho, sem o efeito ampliador da preparação. Pergunte-se como reagiria se o gatilho – a situação, o evento, as palavras, o tom de voz – acontecesse pela primeira vez. Olhe o gatilho de longe. Na escala de gravidade que vai de 0 a 10, onde fica o gatilho? Quanto tempo durará seu efeito? Você se lembrará dele daqui a alguns dias? Não se trata de desdenhar do ocorrido, mas de vê-lo com clareza. Perceber que o gatilho na verdade era 2, mas que minha raiva subiu para 7 me ajudou muitas vezes. Quando reconhecia isso, eu podia ficar dentro da onda fervente de reações exageradas e, ao mesmo tempo, manter minhas palavras e meu tom de voz o mais perto possível do 2. Então, depois de resolver o gatilho, trate do que causou a preparação.

Desprenda-se do moralismo

É útil ter padrões e valores, mas, se somar a eles o moralismo, com seu dogmatismo e superioridade, você dará combustível à raiva, provocará reações dos outros e reduzirá sua credibilidade. O julgamento moralista que fazemos das pessoas é como um rio na enchente levando o barco da raiva.

Na sua mente, tente separar do verdadeiro âmago da questão qualquer sensação de saber tudo ou de "Sou melhor que você". Por exemplo, uma coisa é querer que as pessoas com quem você mora lavem a louça, outra coisa é pensar que são indolentes, preguiçosas e egoístas se não o fizerem. Reconheça como o moralismo é como uma experiência – talvez com um franzir de olhos e uma aceleração acusatória do pensamento – de forma que as luzes de alerta se acendam em seu painel interno quando ele começar a tomar conta de você. Como o moralismo pode dar uma sensação prazerosa, lembre-se de que não gosta quando os outros são moralistas com você e use isso para se motivar e pousar essa farpa raivosa, mesmo que, a princípio, a ponta pareça doce.

Imagine-se descrevendo a questão de maneira firme e completa, inclusive o modo como o afetou e o que você gostaria que mudasse, sem o efeito ampliador do moralismo. Mantenha em mente essa descrição imparcial das coisas e, sempre que for adequado, escolha expressá-la.

Tome cuidado com a culpabilização

Cresci num lar repleto de culpabilização. Devido à criação que receberam, meus pais temiam que as coisas dessem errado e, portanto, eram rápidos em apontar os erros dos outros. Tinham intenções realmente boas e só estavam tentando ajudar, mas me tornei defensivo quando criticado e adquiri o hábito de procurar defeitos nos outros – principalmente naqueles com quem eu me zangava. Por mais compreensível que fosse esse meu traço, ele criou tensão e conflito desnecessários em meus relacionamentos.

Pense em uma pessoa importante na sua vida e veja se sua mente tende a procurar erros, palavras com que se ofender, coisas com que implicar. Então, pergunte-se: "Até que ponto isso *realmente* tem importância?" Boa parte do que incomoda os outros não os prejudica diretamente nem àqueles com quem se preocupam. Há uma história zen que ilustra isso. Um monge idoso e outro mais jovem, com votos estritos de celibato, faziam uma viagem e encontraram uma linda mulher à beira de um rio lamacento. O monge mais velho se ofereceu para carregá-la; agradecida, ela aceitou, e ele a carregou. Ela então seguiu seu caminho. E os dois monges seguiram o deles. Uma hora depois, o mais novo não parava de pensar: *Como ele conseguiu segurar o corpo quente e macio dela nos braços, sentindo seu hálito doce no pescoço? Como deve ter sido terrível sentir o perfume de seu lindo cabelo comprido!* Finalmente, ele confrontou o outro e despejou o que estava pensando. O monge mais velho escutou, sorriu gentilmente e disse: "Eu a deixei na outra margem do rio, mas você a carregou até aqui." Se estiver preocupado com os erros e defeitos dos outros, imagine como seria bom deixá-los de lado.

Desacelere

A informação flui por vários caminhos importantes do cérebro, como as ramificações e os canais interligados de um rio. Um caminho fundamental para a entrada de informações passa pelo painel sensorial subcortical, o tálamo, e depois se bifurca. Uma ramificação se liga à amígdala, que é o antigo sinal de alarme do cérebro (entre outras funções). O outro ramo leva ao córtex pré-frontal, de evolução recente, que é o centro do pensamento complexo, do planejamento cuidadoso e da compreensão sutil das outras pessoas.

Localizada ao lado do tálamo, a amígdala dispara antes do córtex pré-frontal. Sua natureza de "atirar primeiro, perguntar depois" comanda nossas reações imediatas. A amígdala também influencia as interpretações e análises do córtex pré-frontal, quando, um, dois ou três segundos mais tarde, ele começa a correr atrás dela. É a tomada do poder pela amígdala: ótima para a sobrevivência nua e crua, mas também fonte de muito nervosismo desnecessário, reações exageradas e conflitos dolorosos. Em meus relacionamentos e entre os casais que aconselhei no consultório, vi muitas interações desenfreadas em que A reage a B, que reage a A, que então reage exageradamente a B, que então reage exageradamente a A, e assim por diante.

As coisas vão muito melhor quando a gente desacelera. Dê a si mesmo – e ao outro – a dádiva do tempo: tempo para respirar algumas vezes, para imaginar o que o outro realmente está dizendo, para permitir que os primeiros impulsos de reagir lutando ou fugindo passem pelo corpo, para reconhecer e restringir palavras e ações impulsivas das quais você se arrependerá depois. Esses segundos a mais antes de falar ajudam os outros a não se sentirem o alvo de uma metralhadora de palavras e de intensidade emocional. E também lhes darão tempo de refletir e de serem menos controlados pela amígdala.

Se precisar, afaste-se e acalme-se. Fique um tempo à janela, coma alguma coisa, saia para caminhar. Não para obstruir a questão, mas para abordá-la de forma produtiva. Uma hora ou um dia depois, volte ao problema.

Tente não falar nem agir com raiva

Isso não significa não se enfurecer. A raiva é natural e indica necessidades que parecem não satisfeitas. Suprimi-la costuma criar mais problemas do que soluções. Também não é que você não deva agir com base na raiva; há ocasiões em que as pessoas precisam da raiva para lutar pela própria vida – ou pela dos outros.

Com isso em mente, faça a experiência de se comprometer a passar um dia inteiro sem falar nem agir com raiva. Eu mesmo já tentei, e isso me ajudou a desacelerar, a perceber a mágoa ou a preocupação por trás da raiva e depois falar de um jeito mais sincero e menos crítico ou impositivo. Você ainda pode sentir a raiva, admitir que a sente e abordar o problema, seja ele qual for. Enquanto isso, veja como é separar a raiva de tudo o mais em sua mente e não deixar que ela seja a força controladora por trás do que você diz ou faz.

• • •

A dor e a ameaça acontecem com todos nós e desafiam nossa necessidade de segurança. De vez em quando, medo e raiva, em todas as suas formas, surgem na cabeça de qualquer um. Com a força da calma, você consegue administrar essas correntes como um instrutor de canoagem num rio durante uma enchente.

PONTOS-CHAVE

- Dois ramos do sistema nervoso trabalham juntos para nos manter equilibrados. O ramo parassimpático, de "descansar e digerir", nos acalma, enquanto o ramo simpático, do "lutar ou fugir", nos anima.
- O ritmo da vida moderna promove ativação simpática crônica, que é estressante para o corpo, a mente e os relacionamentos. Portanto, procure regularmente oportunidades para ativar o sistema nervoso parassimpático, tais como relaxamento e meditação.
- Reagimos a ameaças imaginárias ou exageradas para não deixarmos de ver as ameaças reais. É a chamada "paranoia do tigre de papel", que cria ansiedade desnecessária e torna mais difícil ver as ameaças reais e enfrentá-las.

- Observe se você não está superestimando ameaças e subestimando seus recursos para lidar com elas. Note que, no geral, você está bem agora. Ajude-se a se sentir o mais seguro possível.
- A raiva provoca muito desgaste corporal e mental, além de alimentar conflitos. Você pode ser poderoso e assertivo sem se irritar.
- A raiva vem em dois estágios: a preparação e o gatilho. Tente agir rapidamente a fim de reduzir a preparação e também reagir ao gatilho na devida proporção. Tome cuidado com o moralismo e o excesso de culpabilização e desacelere as interações para evitar a "tomada do poder pela amígdala".

CAPÍTULO 8

MOTIVAÇÃO

*Sabedoria é escolher a
felicidade maior em
vez da menor.*

BUDA

Resiliência é mais do que administrar estresse e dor e se recuperar de perdas e traumas. As pessoas resilientes também são capazes de buscar oportunidades diante de desafios. Elas conseguem começar a fazer coisas benéficas, parar de fazer coisas prejudiciais e seguir em frente, dia após dia, sem muito estresse.

Para ser resiliente dessa maneira, precisamos ajustar a maquinaria motivacional do cérebro. Portanto, vamos examinar como gozar os prazeres sem nos apegarmos a eles, aproveitar a paixão saudável e nos motivar em direções positivas. Em termos amplos, este capítulo é sobre o desejo, uma característica inerente da vida. Não podemos eliminar nossos desejos. Querer que os seres não sofram é um desejo. Até o desejo de transcender o desejo é, em si, um desejo. A única questão é: podemos desejar bem?

GOSTAR E QUERER

Imagine que você vai jantar na casa de um amigo e se empanturra com uma refeição fantástica que inclui duas sobremesas. Eles trazem a terceira sobremesa, lhe dão uma provinha e perguntam: "Gostou?" Naturalmente, você responde: "Sim, é deliciosa." Então, perguntam: "Quer?" E você responde: "Não, obrigado, estou totalmente satisfeito!" Você gosta, mas não quer.

Agora, imagine alguém num caça-níqueis pondo moedas e puxando a alavanca sem parar. Já observei em cassinos muita gente que parece cansada e entediada e mal sorri com o ganho ocasional. Há uma persistência compulsiva, mas pouco prazer. Eles querem, mas não gostam.

Em outras palavras, gostar e querer são experiências distintas. Também são distintas em termos neurológicos. Uma região chamada *núcleo accumbens*, no fundo dos gânglios da base do subcórtex, contém um pequeno nó que ajuda a regular a sensação de gostar de alguma coisa e outro que regula a sensação de querer essa coisa.

O ponto da virada

Estou usando a palavra "querer" com um sentido bem específico neste capítulo, como um estado de insistência, impulso ou anseio baseado numa sensação inerente de privação e perturbação. Trata-se do termo no sentido de "*carência*". É natural gostar de coisas agradáveis, como uma sobremesa dividida com amigos. Os problemas surgem quando passamos do gostar à carência, de apreciar a refeição conjunta a insistir em comer o último pedaço de torta.

Passar do gostar para o querer marca o ponto de transição da zona verde para a zona vermelha, de uma sensação subjacente de equilíbrio e plenitude para a sensação de que alguma coisa está errada ou faltando. É utilíssimo tomar consciência dessa transição em tempo real. Assim você pode voltar a simplesmente gostar e buscar oportunidades e prazeres sem acrescentar o estresse que vem do querer, da carência.

Segundo um ditado popular, gostar sem carência é o paraíso, mas carência sem gostar é o inferno. Quando você gosta de algo mas não quer, consegue apreciá-lo inteiramente. Não há tensão em torno da experiência, não há apego nem medo de que acabe. Sem o querer, existe liberdade. As experiências benéficas tendem a durar mais e a serem mais gratificantes. Isso envolve, naturalmente, os passos de amplificar e receber do processo SARE, que ampliam a instalação da experiência no sistema nervoso. Aprendemos e ganhamos mais com nossas experiências quando simplesmente gostamos delas.

Henry David Thoreau escreveu: "Torno-me rico por tornar poucos meus quereres." Há muitos benefícios em se manter no gostar sem passar ao querer. Mas costuma ser difícil. O consumismo é um motor da economia moderna, e às vezes parece que as maiores cabeças de nossa geração estão ocupadas imaginando maneiras cada vez mais eficazes de estimular o querer e nossa carência. Além disso, mesmo que desliguemos a TV, apaguemos nossos perfis das redes sociais e nunca entremos num shopping, temos um cérebro projetado para querer *aquilo de que gosta*.

Querendo mais

As tendências inatas da mente – nossa natureza humana – resultam de vários milhões de anos de escultura do cérebro. Ao competir por recursos escassos, nossos ancestrais desenvolveram sistemas motivacionais que os levavam a uma busca intensa por metas como alimento ou sexo. Isso foi bom para a sobrevivência, mas, hoje, equivale a um tipo de agência de publicidade interior que tenta nos motivar anunciando diariamente como seria bom conseguir o que queremos.

Ao avaliar diversas opções, aguardar um acontecimento ou pensar num objetivo específico, fique atento às recompensas que sua imaginação prevê receber. Observe, então, quais são as recompensas reais. Na maior parte do tempo, elas estão bem aquém do prometido. Além disso, mesmo quando correspondem à expectativa, em algum momento acabam. A refeição foi boa, o suéter novo é bonito, foi gratificante terminar o projeto no trabalho, mas a experiência acabou. E aí?

Recompensas previstas são, frequentemente, decepcionantes. Até as melhores experiências são fugazes, o que pode criar a sensação crônica de carência de algo que tanto desejamos. Isso nos força a continuar buscando o próximo objeto encantado, a próxima experiência.

Mesmo quando estiver se sentindo bem, sem nenhum problema para resolver e nenhuma necessidade, veja se consegue perceber um tipo de *autodesejo* dentro da sua cabeça: uma busca constante por algo novo a querer, mesmo quando você já está satisfeito. Essa tendência pode ter evoluído para forçar nossos ancestrais a procurar comida e farejar novas oportunidades, mas embutido nesse autodesejo está o sentimento subjacente de inquietude e uma leve sensação de que o momento, todo momento, nunca é totalmente satisfatório por si só.

Essa fome pela próxima mordida nos afasta da apreciação do que temos e nos leva a sempre querer o que nos falta. É doloroso buscar a satisfação com a mentalidade obscurecida pela insatisfação, o que sempre deixa o pleno contentamento fora do alcance.

Gostando sem querer

Há ocasiões em que a pessoa tem que passar para um estado de intenso querer a fim de atender às suas necessidades imediatas.

Alguns anos atrás, um incêndio começou a consumir as florestas nos morros perto de nossa casa. Eu sabia que poderíamos ter que abandonar tudo a qualquer momento, que nossa casa corria risco de ser atingida. Rapidamente, reuni os itens que nos seriam essenciais, só por precaução. Meu coração estava disparado, a adrenalina forte. Foi um pico necessário de estresse da zona vermelha. Então tudo se acomodou de volta ao laranja, ao amarelo e ao verde conforme víamos o corpo de bombeiros apagar o incêndio antes que se espalhasse mais. Às vezes o querer é necessário. Mas ele sempre cobra um preço, da experiência sutil de tensão e contração ao desgaste prolongado do corpo e dos relacionamentos. Para lidar com a vida a partir de uma sensação de gostar sem querer, os métodos a seguir são realmente eficazes.

Esteja consciente do tom hedonista

Tenha consciência se as experiências são agradáveis, desagradáveis ou neutras. Esse é o *tom hedonista* delas. Gostamos e nos aproximamos de coisas que têm um tom hedonista agradável, desgostamos e evitamos as que são desagradáveis, ignoramos as neutras. Também esteja consciente do tom hedonista das diversas coisas que *imagina* fazer, como planejar uma reunião, pensar em como começar uma conversa difícil ou decidir comprar ou não alguma coisa.

Nossa tendência é querer o que tem um tom hedonista agradável. Em consequência, a atenção plena aos tons hedonistas cria um espaço entre o que é agradável na experiência e qualquer carência relacionada. Nesse espaço, você tem opção e não precisa passar automaticamente ao querer.

Explore o simples gostar

Perceba a diferença entre as sensações de gostar de algo e querer. Fique atento à sensação de tranquilidade no corpo. Observe que seus pensamentos permanecem abertos e flexíveis. Note que você pode apreciar algo sem a impulsividade estressante do querer.

Desenvolva familiaridade com a sensação de ter prazer – saborear uma refeição, rir com amigos – ao mesmo tempo que abandona qualquer desejo em relação a ela. Repetidamente assimile essa maneira de se relacionar com as coisas que aprecia, para que se torne cada vez mais natural.

Explore a experiência do querer

No decorrer do dia, fique atento à transição de gostar de algo de forma agradável a querê-lo de forma estressante. Tenha consciência do "autodesejo" no fundo da mente, que busca algo novo a querer mesmo quando você já se sente bem. Reconheça o papo de vendedor da sua agência de publicidade interior, que pode ser assim: "Vai ser muito bom." "Não se preocupe, é só mais uma vez." "Ninguém vai saber." "Vai ser muito divertido." Quando estiver experimentando seu objeto de carência, observe quando não for tão bom quanto prometido.

Imagine um tipo de painel interno e note quando as luzes vermelhas do querer começam a piscar. Passe a conhecer os diversos "sabores" do querer. Por exemplo, fique atento a como é sentir-se urgente, pressionado, constrangido, insistente, exigente, compelido, faminto ou viciado. Recue e observe os elementos da experiência do querer: os pensamentos e imagens, as sensações corporais, as emoções, as expressões faciais, a postura e as ações. Note que querer é diferente de gostar.

Reconheça que querer é uma experiência como qualquer outra, formada de partes que vêm e vão. Tente ver as experiências de querer como nuvens que se deslocam pelo céu da consciência. Elas não parecerão tão pesadas, tão parecidas com objetos, tão compulsórias.

Observe o início da pressão, da insistência e de outros indicadores do querer. Note também a persuasão e, às vezes, a manipulação daqueles que tentam fazer você querer coisas – geralmente para o bem deles, não o seu.

Volte ao gostar

O fato de o querer surgir na consciência não é um problema em si. É natural querer. O problema é que privilegiamos as experiências de querer e deixamos que elas nos controlem. Só porque a experiência de querer existe não significa que *temos* que atendê-lo. A questão não é o surgimento do querer, mas sua relação com ele.

Reconheça o custo do querer para sua saúde, seu bem-estar e seus relacionamentos. Veja se consegue escolher a opção fundamental de basear sua vida em gostar, e não em querer. Use o processo SARE para amplificar e receber a experiência dessa escolha, de modo que fique cada vez mais estável dentro de você.

Quando o gostar se transforma em querer, distancie-se e rotule-o, dizendo: "Quero muito aquela cerveja." "Ávido demais para provar esse ponto de vista." "Passo tempo demais nesse site de roupas." Observe o querer como uma parte sua que fica meio de lado ou à distância, talvez imaginando-o como um cachorro engraçado e insistente que o puxa na direção errada. Respire fundo algumas vezes para se acalmar e se recompor. Livre-se de toda sensação de pressão, impulsividade ou "tenho que". Conscientemente, deixe o querer sair. Volte a se concentrar no prazer e no propósito – sem carência.

Sentir-se satisfeito de saída

Qualquer experiência em que haja alguma *satisfação* – como gratidão, prazer e realização – é uma oportunidade para sentir que essa necessidade foi atendida, pelo menos por enquanto. Além de experiências específicas, também tenha consciência da sensação geral de já estar saciado, de que este momento é o bastante; tente a prática a seguir. Se internalizar repetidamente essas experiências de satisfação, até com as experiências leves e passageiras do cotidiano, aos poucos elas construirão um profundo sentimento incondicional de contentamento aí dentro. Então você levará consigo uma felicidade inerente aonde quer que vá. Não ficará tão estressado com a busca de prazeres ou realizações. Se eles vierem, ótimo; caso contrário, ora, você já é feliz.

SENTIR-SE PLENO

Respire fundo algumas vezes e relaxe. Observe que está respirando, que seu coração está batendo, que você continua vivendo. Pode haver dor, doença ou alguma deficiência, pode haver tristeza e sofrimento, e, enquanto isso, você pode se concentrar no que *é* suficiente, no que *está* funcionando. Poderia ser bom ter mais, mas o que você tem já é o bastante. Permita-se assimilar essa sensação de que já tem o bastante.

Reconheça a plenitude do mundo natural, sua oferta de oxigênio para respirar e de alimentos para comer. Não importa o que falta em sua vida, ainda há abundância na natureza, e muitos seres vivos o possibilitam viver. Permita-se sentir sustentado, protegido e alimentado pela plenitude da vida.

Considere a plenitude do universo material... Seu corpo, que consiste de incontáveis átomos, sempre presentes, já prontos, nada que você precise fazer para criá-los. O tecido de matéria e energia, espaço e tempo, do qual você já é feito. Repouse nessa plenitude, sem precisar entendê-la, simplesmente recebendo-a.

Esteja consciente de tudo o que aparece na sua consciência a cada momento... Sons, sensações, imagens, emoções e pensamentos. Relaxe e reconheça a plenitude esmagadora e inerente da própria experiência. Permita que a sensação dessa plenitude o preencha.

Reconheça que não importa que as experiências sempre passem, porque elas são continuamente substituídas por novas experiências.

> Permita-se a sensação de ser preenchido pelo que surge na consciência, mesmo quando se vai. Já tão pleno, deixe de lado a carência por algo mais.

PAIXÃO SAUDÁVEL

Como eu disse no capítulo anterior, os ramos simpático e parassimpático do sistema nervoso trabalham juntos como os pedais do acelerador e do freio de um carro. O sistema nervoso simpático se ativa na reação de luta ou fuga ao estresse, mas também é ativado quando buscamos oportunidades com entusiasmo, somos assertivos, fazemos amor e nos alegramos com filhos e amigos. Precisamos do sistema nervoso simpático para a paixão saudável.

A existência de um fator de estresse – da ceia de Natal na sua casa à oportunidade importantíssima no trabalho – não significa que você precisa se sentir estressado. A ativação do sistema nervoso simpático (SNS) não é inerentemente estressante. A principal diferença é se há emoções positivas ou negativas também presentes. Em termos simples:

- SNS + emoção positiva = paixão saudável
- SNS + emoção negativa = estresse nocivo

As emoções positivas e a zona verde

Para entender a relação entre emoções e estresse, pense em dois exemplos da sua vida. Primeiro, recorde uma ocasião em que buscava alcançar um objetivo importante e havia muito estresse envolvido. Por exemplo, você podia estar de mudança para outra cidade ou assumindo um grande projeto. Lembre-se de algumas emoções negativas – como ansiedade, frustração e raiva – e considere como elas o deixaram mais estressado. Depois, recorde uma ocasião em que tinha outro objetivo importante a alcançar, mas sentia muitas emoções positivas. Observe como esses sentimentos reduziram seu estresse.

As emoções positivas o mantêm na zona verde quando você se torna mais ativo, intenso ou apaixonado. Como o sistema nervoso simpático evoluiu para ajudar nossos ancestrais a lutar ou fugir, o entusiasmo pode se transformar fácil e rapidamente em frustração ou raiva. Por exemplo, eu me lembro de assistir aos San Francisco 49ers na TV e comemorar quando marcaram um *touchdown*, e depois ficar irritadíssimo quando minha esposa me fez uma pergunta simples. A ativação do sistema nervoso simpático é como sair em disparada pela estrada. Com a velocidade, você consegue avançar mais, mas o menor obstáculo pode provocar um acidente. As emoções positivas o ajudam a se manter na pista.

Encontrando o ponto de equilíbrio

Há um ponto no qual o que você está fazendo é desafiador o bastante para ser envolvente, mas não a ponto de parecer esmagador. Para encontrar esse ponto de equilíbrio e permanecer nele, experimente estas estratégias.

Fique à vontade com a aceleração do corpo

Se estiver enfrentando um desafio e começar a se sentir tenso ou nervoso, diga a si mesmo que é bom acelerar, respirar mais depressa e sentir o fluxo de adrenalina. Quando interpretada dessa maneira – como a forma saudável de reação do corpo –, a situação parece menos estressante. Lembre-se de que você já enfrentou desafios semelhantes e avalie se está lidando com a situação atual de maneira eficiente. Isso o ajudará a estar mais confiante e menos estressado.

Prepare-se com emoções positivas

Antes de entrar numa situação que pode ser emocionante, intensa ou até um pouco angustiante, crie uma base de emoções positivas. Traga à mente bons sentimentos e atitudes que *combinem* com a necessidade básica que está em jogo. Essa é uma aplicação dos métodos da parte "Cultive as potencialidades de que você mais precisa", no Capítulo 3. Por exemplo, se vai conduzir uma reunião, recorde experiências passadas em que sua liderança foi bem-sucedida ou seus conhecimentos foram apreciados. Isso vai prepará-lo a responder a quaisquer desafios com elegância e bom humor em vez de tensão e irritabilidade.

Quando acelerar, cuidado com as emoções negativas

Quando estiver apressado, entusiasmado ou muito sensível, fique bem atento às emoções negativas, como frustração ou raiva. É como pilotar um carro de corrida sob uma bandeira amarela: continue, mas com cuidado.

Caso surjam sentimentos, classifique-os, rotulando-os, como "irritação", "preocupação", "ressentimento". Isso aumentará a regulação do córtex pré-frontal e acalmará a amígdala. Tente desacelerar; faça uma pausa um pouco mais longa do que de costume antes de falar. Distancie-se mental e talvez fisicamente, afastando-se da situação até a agulha do estressômetro descer do vermelho para o laranja, o amarelo... e voltar ao verde.

Aprecie a jornada

Quando perseguir uma meta, procure sinais de progresso. Marque as pequenas vitórias e observe as pequenas realizações. Essas pequenas e leves experiências de sucesso serão gratificantes para o cérebro e o ajudarão a se manter no ponto de equilíbrio da paixão saudável. Por exemplo, quando minha caixa de entrada tem cinquenta novas mensagens, tento sentir um senso de conquista ao abrir cada uma delas. Então todo o volume de trabalho não parece tão assustador.

INCLINANDO SUA MENTE

A maioria de nós sabe que há uma série de atitudes que nos fariam bem, mas, ao mesmo tempo, temos dificuldade em colocá-las em prática. Do mesmo modo, há coisas que deveríamos deixar de fazer, mas que continuamos fazendo. Por exemplo, sei que deveria me exercitar mais e ingerir menos carboidratos.

Mesmo quando avançamos rumo às metas certas, às vezes o fazemos do jeito errado. Nossas metas mais importantes são sempre positivas, já que se baseiam nas necessidades básicas, de segurança, satisfação e conexão. Por exemplo, por trás do desejo de comer um pacote de biscoitos está o objetivo de obter conforto e satisfação; atrás do desejo de impressionar os outros está a meta de estimular o amor-próprio e a conexão. A maior parte dos nossos problemas não tem a ver com essas metas, mas com o modo de atingi-las. Considere um desejo que lhe seja incômodo, talvez de consumir determinados alimentos ou viver determinadas situações, e se pergunte: "Qual é a meta que está na base disso?" E, quando encontrar a resposta, pergunte-se: "Como atingir essa meta de um jeito melhor?"

Quando tenta se motivar para alcançar um objetivo específico ou buscá-lo de um jeito mais sábio, é importante tomar providências práticas a fim de se colocar no caminho do sucesso. Por exemplo, combine com um amigo de se encontrarem toda manhã para praticarem mais exercícios ou se livre de todos os doces da despensa quando quiser comer menos açúcar. Essa é uma medida acertada. A maioria de nós já sabe quais são as providências que nos colocariam no caminho certo – mas nem assim começamos a percorrê-lo. Então, como nos levar para a direção certa e nos afastar da errada?

O CIRCUITO MOTIVACIONAL

É aqui que um pouco de conhecimento sobre um importante circuito motivacional do cérebro pode ser muito útil. À medida que aumenta a sensação de recompensa de uma experiência, os neurônios da área *tegmental ventral*, no alto do tronco cerebral, liberam mais dopamina em duas outras regiões do cérebro: o núcleo accumbens, dentro do subcórtex, e o córtex pré-frontal, atrás da testa. No núcleo accumbens, o ápice de atividade da dopamina envia, pelo *globo pálido* e pelo *tálamo*, sinais que nos fazem agir rumo às recompensas. No córtex pré-frontal, o aumento da atividade da dopamina concentra a atenção no que é gratificante e estimula as *funções executivas* pré-frontais para descobrir como guardar essas recompensas e até obter outras mais. A área tegmental ventral, o núcleo accumbens e o córtex pré-frontal formam um tipo de circuito que também funciona quando vemos oportunidades e *o potencial* de recompensas.

Para fazer esse circuito trabalhar para você, é bom fortalecer no cérebro a associação entre as ações que gostaria de incentivar e as recompensas que virão delas. Mostrarei como fazer isso mais adiante neste capítulo. Você também pode usar esse método para desenvolver novas maneiras de agir que substituam o que você quer desestimular. Por exemplo, para não se irritar com um parente ou colega provocador, é bom focar-se no que há de gratificante em permanecer calmo. Você estará *extinguindo* um mau hábito enquanto *reforça* um bom hábito.

Diferenças de temperamento

À medida que fortalece a associação entre determinados comportamentos e suas recompensas, leve em conta seu temperamento. As pessoas têm diferentes quantidades de *receptores de dopamina* no circuito motivacional. Os neurônios se conectam entre si em lacunas minúsculas chamadas *sinapses*. Quando dispara, o neurônio libera neurotransmissores que cruzam essa lacuna em direção aos receptores de outros neurônios. Os receptores são como portos, e as moléculas de neurotransmissores são como pequenos navios. Eles atracam muito depressa, porque o espaço entre os neurônios é muito reduzido – tanto que vários milhares de sinapses caberiam na espessura de um único fio de cabelo.

Quando os neurotransmissores se ligam aos receptores, isso afeta o disparo ou não do neurônio receptor. Os neurônios com menos receptores de dopamina precisam de mais dopamina para provocar a atividade relacionada a esse neurotransmissor. Para simplificar, *quanto menos receptores de dopamina a pessoa tiver, de mais recompensas vai precisar para continuar motivada*. Algumas pessoas acham fácil se manter na mesma tarefa e continuam trabalhando mesmo que não seja muito gratificante; essas pessoas tendem a ter mais receptores de dopamina. Outras pessoas, que perdem o interesse bem depressa quando algo não é estimulante ou gratificante, tendem a ter menos receptores. Essas variações são normais, um aspecto da diversidade natural dos temperamentos. Meu palpite é que, à medida que nossos ancestrais evoluíam, foi útil contar com essa variedade de temperamentos em seus pequenos bandos. Por exemplo, os indivíduos com menos receptores de dopamina poderiam contribuir com o grupo procurando novas oportunidades, ideias e maneiras de fazer as coisas.

Não é uma falha de caráter ter relativamente poucos receptores de dopamina. Isso só significa que a pessoa é estimulada por um aumento na *quantidade* de recompensas, na *atenção* que dá a elas e na *sensibilidade* a elas. Na verdade, aumentar esses três aspectos ajudará qualquer um a continuar inclinando o cérebro e, portanto, a mente numa direção positiva.

Você pode aumentar a quantidade de recompensas de várias maneiras:

- Escolha atividades que sejam estimulantes e prazerosas (digamos, praticar esportes para se exercitar em vez de correr na esteira).
- Acrescente novas recompensas, como fazer uma atividade com outras pessoas.
- Varie os detalhes do que está fazendo; por exemplo, se estiver mudando sua dieta para ter uma alimentação mais saudável, teste novas receitas.
- Faça pausas curtas e frequentes, depois volte à tarefa.
- Peça feedback frequente, especialmente se for positivo.

Destaque as recompensas

Além de criar novas recompensas, você pode destacar as que já são habituais, dando-lhes mais atenção e aumentando sua sensibilidade a elas. Vale a pena fazer isso por si só, pois, às vezes, não é possível criar novas recompensas.

Antes de começar

Pense em algo em que você tem procurado ter mais motivação. Imagine-se fazendo isso e, ao mesmo tempo, identifique o que seria agradável ou importante. Por exemplo, para usar a esteira e passar meia hora caminhando, imagino como será bom ter um tempo para ouvir música e ler alguma coisa enquanto me exercito. Você também pode imaginar as recompensas que virão depois de terminar a atividade.

Ao prever as recompensas, passe da ideia da recompensa para uma sensação emocional e mais concreta dela, o que liberará mais dopamina. No exemplo da esteira, tento trazer à imaginação a *sensação* agradável e relaxada que experimento quando ouço minha *playlist* favorita. Isso é muito mais motivador do que apenas saber que haverá música. Se você já usou os passos SARE para implantar o sentimento de uma experiência benéfica, como ouvir música, será mais fácil recordar esse sentimento no presente – como se armazenasse experiências boas num banco de onde pudesse fazer saques depois.

Durante

Quando estiver fazendo aquilo para o que deseja motivação, concentre-se repetidamente no que é agradável. De novo, de novo e de novo: é assim que se criam os níveis máximos de dopamina que prepararão o circuito motivacional.

Não pare de procurar o que poderia ser novo ou surpreendente no que está fazendo. O nível de dopamina sobe quando o cérebro encontra novidades. Além disso, se ajude a ficar adequadamente entusiasmado. Isso aumenta a adrenalina, que fortalece a associação entre a atividade e suas recompensas.

Depois

Quando terminar, reserve algum tempo para saborear os resultados. Ao sair da esteira, me concentro na sensação de vitalidade e satisfação por ter feito algo pela minha saúde. Não passe para a atividade seguinte sem registrar as recompensas do que acabou de fazer. Você se esforçou por elas e as merece.

Incentive-se

Já escalei com instrutores, e a maioria deles sempre me deu muito incentivo. Eles me diziam quando eu cometia um erro, mas enfatizavam meu progresso. Revelavam o que eu tinha de melhor como alpinista e me faziam querer continuar escalando. No entanto, um deles era muito diferente. Ele ia escalando na frente e dava puxões na corda quando eu ia devagar nas partes mais difíceis. Indicava todos os meus erros técnicos, mas só observava, impassível, eu me deslocar suavemente por uma seção complicada. Sua impaciência e exasperação viajavam pela corda como uma reprimenda zangada. Em vez de me fazer melhorar, aquilo me deixava inibido, preocupado e estressado. Ele me fez escalar pior. Era um excelente alpinista, mas um péssimo guia.

Mais ou menos a mesma coisa acontece na mente. Basicamente, há duas maneiras de escalar as montanhas da vida: pela orientação ou pela crítica, aproveitando o incentivador interior ou o crítico interior. Considere as diferenças entre essas duas abordagens:

ORIENTAÇÃO	CRÍTICA
Qual é a meta	Qual não é a meta
O que está certo	O que está errado
Tom gentil	Tom ríspido
Compassivo	Desdenhoso
Constrói	Destrói

Ao ir em busca das suas metas, observe como é a sensação de orientar-se e como é a sensação de criticar-se. Enfatize deliberadamente a atitude e o sentimento de orientação. Lembre-se de pessoas que dão apoio e incentivo e imagine como elas falariam com você se você cometesse um erro. Incentive a si mesmo a continuar. Use repetidamente os passos SARE para assimilar experiências de auto-orientação até que isso se torne cada vez mais natural para você.

Muitos temem que, se não forem duros consigo mesmos, não levarão as coisas a sério, mas isso não precisa ser verdade. Tente perceber que você consegue permanecer no caminho certo com orientação em vez de críticas. Reconheça também que a autocrítica *prejudica* seu desempenho ao longo do tempo. Por exemplo, o estresse de descer a lenha em si mesmo por causa dos erros que cometeu libera cortisol, que aos poucos enfraquece o hipocampo e, em consequência, a capacidade do cérebro de aprender com o que você fez corretamente.

Se você sabe que está no caminho certo, mesmo que não seja imediatamente gratificante, permaneça nele. Essa é a essência da motivação: ser capaz de continuar realizando uma ação por saber, no fundo do seu ser, que você tem que fazer aquilo. Certa vez fiz uma aula de meditação com Joseph Goldstein, um professor preciso e objetivo. Durante um intervalo, contei a ele o que estava sentindo e perguntei se estava no caminho certo. Ele fez que sim, sorriu e disse uma palavra que nunca esqueci: "Continue."

PONTOS-CHAVE

- Resiliência é mais do que se recuperar de adversidades. As pessoas resilientes continuam perseguindo suas metas diante de desafios. Por isso, aprender a regular a maquinaria motivacional do cérebro é um aspecto fundamental da resiliência.
- Gostar é diferente de querer. O querer vem com uma sensação de insistência, impulsividade ou compulsão que é estressante e pode levar a comportamentos prejudiciais. Explore a experiência de gostar sem carência. Assimile repetidamente experiências de já estar satisfeito para construir um centro de contentamento. Então você poderá gozar os prazeres e ser ambicioso sem o estresse do querer.
- O sistema nervoso simpático traz energia e paixão, mas, sem emoções positivas como felicidade e amor, a ativação simpática nos leva para o estresse da zona vermelha. Quando acelerar, tome cuidado com as emoções negativas e não pare de buscar maneiras de vivenciar as positivas.
- O cérebro tem um circuito motivacional fundamental baseado na atividade da dopamina. Há variações naturais na quantidade de receptores de dopamina de cada indivíduo. As pessoas com menos receptores tendem a precisar de mais recompensas para permanecerem motivadas.

- Treine esse circuito aumentando a associação entre recompensas e aquilo para o qual você gostaria de se motivar. Aumente a quantidade de recompensas, a atenção que lhes dá e sua sensibilidade a elas.
- Muita gente pensa que precisa ser dura consigo mesma para continuar motivada, mas, em geral, o contrário é que é verdadeiro. Use a orientação em vez da crítica para se manter no caminho certo.

CAPÍTULO 9

INTIMIDADE

*Prefiro andar com um amigo no
escuro do que sozinha na luz.*

HELEN KELLER

Fui uma criança isolada e introvertida, e me sentia como se estivesse do lado de fora de um restaurante, olhando para dentro pela janela, observando as pessoas conversarem e rirem juntas. Podia ver, mas não tocar; ouvir, mas não falar. Levei muito tempo para reunir coragem para sair do frio e entrar. Aos poucos me abri, conhecendo pessoas e sendo conhecido, e fiquei cada vez mais conectado a elas. Em termos mais amplos, isso é intimidade, cuja raiz significa "tornar familiar ou conhecido".

Há graus de intimidade em todos os nossos relacionamentos, de um encontro passageiro com um vendedor de cachorro-quente a um casamento de 50 anos. A intimidade repousa sobre uma base de autonomia pessoal, empatia, compaixão, bondade e virtude unilateral nos relacionamentos. Esses são os pontos centrais deste capítulo, no qual enfatizarei as maneiras de trabalhar com a mente. No próximo capítulo, nos concentraremos em maneiras de interagir com os outros.

EU E NÓS

Quanto maior a intimidade, maiores as recompensas – e os riscos. Ao se abrir e investir em relacionamentos, você inevitavelmente fica mais exposto e vulnerável; as pessoas podem desapontá-lo ou feri-lo com mais facilidade. Como ganhar os benefícios da intimidade e ao mesmo tempo administrar os desafios que a acompanham?

Paradoxalmente, para obter o máximo de "nós" é preciso se manter centrado no "eu". Como diz o provérbio, cercas fazem bons vizinhos. Uma sensação forte de autonomia – de que você pensa por si mesmo e faz suas próprias escolhas – promove uma intimidade maior. Por exemplo, quando nos sentimos centrados no próprio corpo, é mais fácil ficarmos abertos aos sentimentos dos outros. Quando cuidamos das nossas necessidades, há uma receptividade natural às necessidades dos outros. Saber que é possível recuar nos ajuda a avançar.

Assim como a autonomia possibilita a intimidade, a intimidade sustenta a autonomia. Os relacionamentos íntimos e estimulantes ajudam a pessoa a se sentir segura e valiosa como indivíduo, o que promove uma independência confiante. Num ciclo positivo, autonomia e intimidade alimentam uma à outra. Juntas, elas nos tornam mais resilientes.

O efeito da história pessoal

Quando há menos autonomia – quando alguém se sente esgotado, empurrado ou enredado por outras pessoas – há menos intimidade, principalmente com o passar do tempo. Mas manter o "eu" enquanto lidamos com "nós" também pode ser difícil. Pergunte a si mesmo se é capaz de manter uma sensação confortável de autonomia quando lhe fazem alguma destas coisas:

- Querem algo de você.
- Estão aborrecidos com você.
- Tentam convencê-lo ou influenciá-lo.
- Não respeitam seus limites.
- Tentam dominá-lo ou controlá-lo.

A reação da pessoa a desafios à sua autonomia depende, em parte, de seu temperamento. Há variações normais da prioridade que se dá à autonomia em comparação com a intimidade. Essas diferenças naturais na sociabilidade e na extroversão/introversão podem ser vistas na infância e persistem na idade adulta. Dizem que os pais de primeira viagem acham que tudo depende da "criação", mas que depois do segundo filho percebem que muito depende da "natureza".

Ainda assim, a criação – o que lhe acontece e o que você faz com isso, começando pela primeira vez que respira e indo até o último suspiro – faz uma enorme diferença. A partir do nascimento, você começa a explorar a independência e a individualidade: escolhe para onde olha e o que engole ou cospe; descobre que o calor na sua pele vem de outro corpo; aprende que os outros podem ter pensamentos e sentimentos diferentes dos seus. Pelo caminho, você naturalmente cria problemas e comete erros – e, às vezes, irrita os outros.

Então o mundo reage. Alguns pais, familiares, professores e culturas valorizam e apoiam a independência e a individualidade da criança; outros, não. Milhares de pequenos episódios em que a expressão e a assertividade da criança são aceitas e administradas com habilidade – ou não – se somam, ao longo do tempo, para configurar a pessoa de um jeito ou de outro.

Pense em sua história e reserve algum tempo para responder a essas perguntas, que se concentram nas suas experiências ligadas à autonomia. Na infância, o que você observou *à sua volta*? De que modo seus irmãos ou outras crianças eram tratados quando eram opinativos, aborrecidos ou teimosos? O que acontecia *com você* se agisse dessa maneira? Como isso o afetou quando você era pequeno? Pense também em sua vida adulta até agora e como o trataram. Você se sentia seguro em ser você mesmo em voz alta? Você precisou refrear suas necessidades para manter a paz? Quando foi forte e assertivo, os outros foram razoavelmente receptivos ou não?

Cultivando a autonomia

Então consiga algum distanciamento e se pergunte como essa história pode afetar você hoje. É normal internalizar a forma como o trataram – limitando ou impedindo sua individualidade e independência, ou ainda o levando a se envergonhar delas – e então fazer o mesmo consigo. Nos relacionamentos importantes, verifique se você se sente à vontade ao:

- Exprimir por completo seus pensamentos e sentimentos.
- Pedir o que quer.
- Confiar em sua avaliação quando discordam de você.
- Enfrentar outras pessoas.

Não importa por onde você comece; há muitas maneiras eficazes de fortalecer uma noção saudável de "eu" em meio ao "nós".

Concentre-se na sua própria experiência

Observe se sua atenção é "atraída" para os outros e afastada de você. Quando isso acontecer, retorne à sua própria experiência centrando-se no corpo. O que você está experimentando não é certo nem errado, justificado ou não. Simplesmente é o que é, e você pode se manter centrado na consciência constante disso.

Imagine limites entre você e os outros

Construa uma sensação de que as outras pessoas estão *lá* enquanto você está *aqui*, separada delas. Imagine uma linha traçada no chão entre você e os outros, uma cerca de madeira ou, se necessário, uma parede de vidro inquebrável. Por mais bobo que pareça, dentro da minha cabeça ouço a voz do Capitão Kirk em *Jornada nas estrelas*: "Levantar escudos, Scotty!"

Afirme sua autonomia dentro de si

Recorde as vezes em que se sentiu forte e determinado. Concentre-se na sensação que isso causou em seu corpo. Diga coisas como: "Sou eu que decido o que é certo para mim." "Não tenho que concordar com você." "Você e eu somos diferentes, e tudo bem." "Não sou obrigado a lhe dar o que quer." Por razões práticas, você pode ter que aguentar algumas coisas – ter de escutar o chefe divagar para manter seu emprego, sorrir educadamente para um parente irritante num jantar em família para garantir a paz. Mas saiba que é você quem está escolhendo isso, fazendo o melhor que pode de acordo com os *seus próprios* valores.

Convoque aliados interiores

A intimidade sustenta a autonomia; assim, busque identificar a noção internalizada dos que estão ao seu lado, o que vai ajudá-lo a se defender. Pense nas pessoas que gostam de você e honram sua independência. Imagine o que diriam se os outros fossem intensos, forçosos ou manipuladores com você. Traga à mente o sentimento do "comitê cuidador" que examinamos no Capítulo 6. Aumente o volume, por assim dizer, dos que o apoiam e reduza o volume dos que questionam sua autonomia.

EMPATIA

Empatia é entrar em sintonia com as outras pessoas e entendê-las. Ao se perceber centrado como "eu", você é empático sem se sentir sobrecarregado nem esmagado.

A empatia é necessária para a intimidade. Ela nos ajuda a entender tons e nuances, ler corretamente as intenções, reconhecer a mágoa atrás da raiva e ver o ser atrás dos olhos do outro. Então podemos nos comunicar e interagir com mais habilidade. Em toda parte, a empatia cria pontes sobre as diferenças de um mundo multicultural. Ela nos ajuda a nos *sentir sentidos*, na frase de Dan Siegel. Vivemos em e como corpos individuais, todos mortais e, em geral, sofrendo. A empatia é a base da sensação de que "não estou sozinho, há outros comigo, estamos nisso juntos, compartilhamos a mesma humanidade".

Empatia não significa aprovação nem concordância. É possível sentir empatia por alguém sem abrir mão dos próprios direitos e necessidades. Na verdade, a empatia é utilíssima em conflitos ou para conviver com pessoas de quem você não gosta muito. Entendê-las melhor pode ajudar no relacionamento com elas. E, se perceberem sua empatia, elas podem se sentir mais ouvidas e ficar mais dispostas a ouvir você.

Seu cérebro com empatia

Ao evoluírem, hominídeos e seres humanos foram se tornando mais empáticos. Hoje, em nosso cérebro muito social, a empatia é facultada por três sistemas neurais afinados com os pensamentos, emoções e ações dos outros:

- **Pensamentos.** Atrás da testa, o *córtex pré-frontal* permite que você entenda as convicções, os valores e os planos de outras pessoas.
- **Emoções.** Dentro dos lobos temporais na lateral da cabeça, a *ínsula* é acionada quando você percebe os sentimentos dos outros.
- **Ações.** Em diversas partes do cérebro, as *redes em espelho* se ativam tanto quando você faz um movimento – como estender a mão para pegar uma xícara – como quando vê outra pessoa fazendo.

De um jeito muito eficiente, essas regiões do cérebro cumprem duas tarefas. Elas regulam seus pensamentos, emoções e ações e, ao mesmo tempo, ajudam você a entender os outros de dentro para fora.

Cultivando empatia em seu interior

As pessoas tendem a pensar que a empatia simplesmente existe – ou a gente tem ou não tem. Mas é possível desenvolvê-la e ampliá-la, como se cultiva qualquer outro recurso psicológico. Comecemos examinando algumas boas maneiras de fazer isso e depois veremos como aproveitar a empatia nas interações com as pessoas.

Mergulhe fundo dentro de si

Aumentar a autoconsciência, principalmente das camadas mais profundas da experiência, melhora a consciência a respeito dos outros. Portanto, sintonize-se com as nuances de sensações, emoções, pensamentos e desejos dentro de você. Especificamente, sinta até o material mais delicado e geralmente mais jovem por trás da superfície do fluxo da consciência. É como ver uma folha flutuando num rio: ao estender a mão para pegá-la, você descobre que ela está presa a uma haste, depois a um galho e, por fim, a um tronco interessantíssimo. Também tente acompanhar mudanças rápidas no fluxo da experiência. No cérebro, os neurônios costumam disparar cinco a cinquenta vezes por segundo, portanto muita coisa pode acontecer no decorrer de uma única respiração. Com a prática, você aumentará a capacidade de estar consciente dos menores detalhes.

Saia de seu ponto de vista

Para se tornar mais empático, vale a pena estar mais à vontade ao se soltar do ancoradouro conhecido de suas convicções e juízos para entrar no universo interior de outra pessoa. Perceba como é considerar com leveza as opiniões e os valores dos outros, e entenda que nem todos concordam com sua avaliação sobre o que é importante e evidente. Reconheça o forte impacto das experiências de vida de cada um, inclusive a influência dos pais, da cultura, de mágoas e estresses. Como acontece com você, as outras pessoas também se tornaram quem são pelas referências que receberam. Escolha um tópico difícil num relacionamento importante – por exemplo, como dividir o serviço doméstico – e imagine como você o abordaria se tivesse as convicções, os valores e o histórico do outro.

Aumente sua "competência cultural"

Isso significa se tornar habilidoso e versado nas pessoas que pertencem a um grupo diferente do seu. Como homem branco cisgênero, heterossexual, americano, de classe média, saudável e profissional liberal, achei utilíssimo (até mesmo do ponto de vista moral) aprender mais sobre pessoas que não são como eu. Isso me tornou mais consciente das minhas suposições e tendências inconscientes e mais respeitoso diante das prioridades e modos de agir dos outros. A competência cultural nos dá percepção para interpretar o que os outros dizem ou fazem, além de permitir que entendamos como nossas palavras e ações podem ser interpretadas. Um entendimento maior sobre os diversos tipos de pessoa nos ajuda a ter mais empatia pelo efeito que causamos neles.

Acessando a empatia durante a interação

Em situações de rotina ou com pessoas conhecidas, é fácil ligar o piloto automático e deixar a empatia sumir ao fundo. E, nas ocasiões em que os outros são críticos ou acusadores, a empatia tende a voar pela janela. Quando realmente precisamos, a empatia parece fora de alcance. Portanto, é bom desenvolver o hábito deliberado da compreensão empática quando estamos com outras pessoas.

Preste atenção

Em geral, é preciso um esforço consciente para manter a atenção, principalmente quando a outra pessoa tem pensamentos, sentimentos e desejos diferentes dos nossos ou contrários a eles. Considere como é raro que outras pessoas estejam presentes e atentas a você durante vários minutos seguidos – e como é bom quando isso acontece. Imagine um pequeno monitor dentro da sua mente que presta atenção à forma como você está prestando atenção. No cérebro, isso envolve uma região chamada *córtex cingulado anterior*. Se sua imaginação devanear um pouco, é natural. Basta trazê-la de volta.

Mantenha-se aberto

Relaxe o corpo, principalmente a área do peito e do coração. Tenha consciência de qualquer tensão e veja se consegue abrir mão dela. Se começar a se sentir desconfortável ou invadido enquanto se abre à outra pessoa, restabeleça uma sensação forte do "eu". Você pode imaginar que está profundamente enraizado como uma árvore robusta e que os pensamentos e sentimentos dos outros passam por você como o vento pelas folhas. Lembre-se de que não tem que concordar nem aprovar nada que não queira, o que o ajudará a ser mais receptivo às outras pessoas.

Acompanhe microexpressões e microtons

Olhe nos olhos do outro o máximo possível. Observe qualquer desconforto que sentir com o contato visual. Não seja invasivo, mas também esteja disposto a estender o contato por um segundo além do que manteria normalmente. Esse é um modo profundo de receber outra pessoa.

Um estudo de Paul Ekman, entre outros pesquisadores, demonstrou que emoções e atitudes pouco perceptíveis costumam se revelar em sutis expressões faciais, principalmente em movimentos dos olhos e da boca. Observe-as e também tenha consciência da postura do outro, além da velocidade e da intensidade do movimento. Imagine o que você estaria sentindo e querendo se usasse essas expressões faciais e essa linguagem corporal. Isso tende a despertar as redes de espelho do cérebro que entram em sintonia com as ações dos outros.

Um dos avanços recentes da evolução humana é a capacidade de produzir e ouvir mudanças rápidas e discretas no tom de voz. O ramo mais recente do *complexo do nervo vago*, que se estende até o ouvido médio e o rosto, é um elemento fundamental do *sistema de envolvimento social* do corpo e do cérebro. Concentrar sua atenção no tom de voz dos outros ativará o complexo do nervo vago e aprofundará sua empatia.

Sinta sob a superfície

Tente sentir as necessidades e dores mais profundas da outra pessoa. Por exemplo, pode haver medo por trás da agressividade ou desejo de intimidade por trás de uma rejeição. Imagine a sensação do corpo da pessoa, se há fadiga, doença ou dor. Tente intuir o que estaria acontecendo dentro de si se você agisse como a outra pessoa. Isso envolverá a ínsula do cérebro e aumentará sua empatia pela vida emocional da outra pessoa.

Refine seu entendimento

Um elemento-chave da empatia é um jeito reflexivo de testar hipóteses e se baseia no córtex pré-frontal. Assim, desenvolva ideias específicas, embora experimentais, sobre o que acontece com a outra pessoa. Em seguida, teste suas ideias procurando indícios que a confirmem ou refutem. Por exemplo, considere o que sabe sobre o temperamento e a história pessoal do outro; talvez o que você achou que fosse um esforço deliberado para feri-lo seja, em grande parte, um modo automático de reagir a pessoas em geral adquirido na infância. Então refine suas ideias para ter um entendimento empático mais preciso.

AQUECENDO O CORAÇÃO

Com a empatia, podemos ter uma ideia real das tristezas e alegrias dos outros. Mas essa ideia em si não é compaixão nem bondade, que têm que ser acrescentadas à empatia para se fazerem presentes. Com o tempo, podemos desenvolver mais compaixão e bondade como traços pessoais. Na verdade, cada um de nós pode ser tornar um indivíduo mais amoroso.

Além de ser bom para os outros, fortalecer o músculo (metafórico) do coração acalma o corpo, protege o sistema imunológico, melhora o humor e provoca a gentileza dos outros. A compaixão pressupõe sofrimento, mas não a bondade; na prática, ambas costumam vir misturadas, por isso vou tratá-las juntas aqui. No Capítulo 1, examinamos como aplicar compaixão e bondade a si mesmo. Agora, vejamos como cultivar um coração mais afetuoso pelos outros.

Saboreie a afetividade

Quando se sentir compassivo ou bondoso, permaneça com essa experiência. Marque-a como importante, abra-se para ela em seu corpo e sinta que ela o inunda e se torna parte de você. Tente fazer isso várias vezes por dia, durante alguns instantes ou mais. Além disso, reserve algum tempo para uma prática contínua de compaixão e bondade, como a do quadro a seguir.

COMPAIXÃO E BONDADE

Acomode-se dentro de si mesmo e relaxe. Traga à mente alguém que o tenha ajudado, como seus pais ou um professor. Tenha consciência das dificuldades, do estresse e da dor dessa pessoa. Encontre uma preocupação terna, talvez com pensamentos suaves como "Que você não sofra... que essa dor passe... que sua saúde melhore". Incorpore e intensifique a experiência com a mão no coração. Então passe da compaixão à bondade, desejando que essa pessoa seja feliz. Encontre amizade, talvez amor dentro de você. Você pode pensar: "Que você tenha sucesso... que tenha paz... que saiba que é amado."

Traga à mente seu cônjuge ou um amigo. Tenha consciência dos fardos, decepções e sofrimentos dessa pessoa. Abra-se à compaixão, com ardor no coração e pensamentos como "Que seu trabalho seja menos estressante... que o tratamento médico dê certo". Encontre também uma sensação de bondade e afeto. Saiba como seu corpo sente a compaixão e a bondade e deixe que elas se estabeleçam dentro de você, inundando-o e tornando-se parte de você.

Em seguida, escolha alguém por quem não sinta nada em especial. Imagine as perdas, a solidão e a dor dessa pessoa... e encontre compaixão. Ache também bondade e boa-vontade. Você pode pensar: "Que você tenha saúde... que fique em segurança... que tenha uma boa vida... que seja realmente feliz."

Então simplesmente repouse na sensação geral de compaixão e bondade, sem se concentrar em pessoa nenhuma. Imagine ondas de doce preocupação, afeto, amizade e amor emanando de você. Sinta que, ao inspirar, o amor flui para dentro de você e, ao expirar, flui para fora. Tome consciência do que for agradável, belo ou valioso nessa experiência. Entregue-se à compaixão e à bondade e deixe que elas o levem.

Reconheça o sofrimento

Ao andar por qualquer rua, você verá cansaço, tensão e tristeza. A vida tem muito mais do que sofrimento, mas todos sofrem pelo menos parte do tempo. Ainda assim, em nossa rotina agitada, é fácil não se comover e passar direto por tudo isso. Certa vez perguntei a meu professor Gil Fronsdal em que ele se concentrava na vida. Ele pensou por um instante e respondeu: "Paro ao ver sofrimento."

Quando interagir com alguém, seja em casa ou no trabalho, abra-se ao sofrimento que pode estar ali, como certo desapontamento ou desalento silenciosos. Algumas vezes por dia, olhe para um desconhecido ou um conhecido com quem não tenha intimidade e tente sentir os fardos que ele carrega. Isso abre e suaviza o coração.

Veja a humanidade comum que compartilhamos

Em geral, tendemos a ser bondosos e compassivos com pessoas que achamos parecidas conosco em algum aspecto. Tente procurar algo em comum com os outros, principalmente com aqueles que parecem muito diferentes de você. Por exemplo, traga alguém à mente e pense: "Exatamente como eu, você sente dor... Você fica magoado e zangado quando o maltratam... Preocupa-se com seus filhos... Igualzinho a mim, você quer ser feliz." Veja se consegue se sentir como a pessoa quando ela era uma criança. Por trás de crenças ou estilos de vida que parecem tão diferentes, tente encontrar anseios e sentimentos que sejam como os seus.

Separe a aprovação da compaixão

O juízo moral está separado da compaixão. Podemos ter compaixão pelo sofrimento mesmo de pessoas que são a fonte do próprio sofrimento ou que prejudicaram outras. Se a compaixão só existisse para aqueles de quem gostamos, o mundo seria um lugar muito mais frio e cruel.

Pense em alguém por quem ache difícil sentir compaixão. Tenha consciência de suas críticas, da frustração ou raiva a respeito dessa pessoa. Imagine tudo isso num dos lados de uma linha. No outro lado da linha, você consegue encontrar o desejo de que todos os seres não sofram, inclusive pessoas que o ofenderam ou contribuíram para seus próprios problemas? Separe sua análise e seu julgamento da simples compaixão pelo sofrimento, qualquer sofrimento. Reconheça o que é verdadeiro na outra pessoa... e encontre compaixão. Além do valor moral dessa prática, você vai se sentir mais livre e terá mais harmonia com essa pessoa.

COMPAIXÃO POR UMA PESSOA DIFÍCIL

Relaxe e encontre seu centro. Traga à mente o sentimento de que algumas pessoas se preocupam com você. Perceba que há outros ao seu lado. Sinta um núcleo de força e determinação dentro de si.

Pense em alguém que você considere difícil. Admita o que tem sido complicado na relação de vocês, de que modo isso o afetou e o que planeja fazer para resolver a situação. Então concentre-se no sofrimento da pessoa. Talvez você precise procurar alguma tensão, pressão ou infelicidade subjacentes – que você tenha vivido na infância quem sabe. Mas todo mundo sofre. E você pode ter compaixão por isso. Se ajudar, imagine como essa pessoa agiria se tivesse menos sofrimento interior.

É compreensível que você queira que essa pessoa trate você e a todos de maneira diferente. Talvez você queira um pedido de desculpas, alguma indenização ou justiça. Ao lado disso tudo, você pode desejar também que essa pessoa não sinta dor desnecessária, não seja infeliz, não testemunhe o infortúnio das pessoas que ama.

Tenha a sensação de sua decência essencial e do desejo de aliviar o sofrimento dos outros. Veja se consegue desejar genuinamente a essa pessoa: "Que você não sofra." Tente achar outras palavras também, como: "Não quero aumentar sua dor... Lá no fundo, que você tenha paz."

Ao encontrar compaixão por essa pessoa, talvez você se sinta menos desafiado ou aborrecido. Saiba que não importa o que ela fez, isso não pode alterar a bondade fundamental no fundo do seu coração.

VIRTUDE UNILATERAL

Como terapeuta de casais há muito tempo, observei o mesmo filme passar muitas vezes em meu consultório. Os detalhes mudam de acordo com os atores, mas o roteiro básico é o mesmo:

Pessoa A: Estou magoado e chateado e quero que você me trate melhor.
Pessoa B: Também estou magoado e chateado e quero que você me trate melhor.
Pessoa A: Eu vou tratar você melhor se *você* me tratar melhor.
Pessoa B: Tudo bem, eu trato – mas você começa!

Em casa ou no trabalho, é mais fácil passar o tempo apontando os defeitos dos outros do que refletindo sobre como você mesmo pode melhorar. No entanto, aguardar que os outros mudem primeiro cria becos sem saída, círculos viciosos e uma sensação de desamparo. Enquanto isso, as pessoas ficam alimentando mágoa, ressentimento e rancor, que são priorizados no armazenamento do cérebro por causa do viés da negatividade.

A alternativa é a virtude unilateral, na qual você se vale da autonomia, da empatia, da compaixão e da bondade para ser honrado e responsável, mesmo quando os outros não são. Essa postura simplifica tudo nos relacionamentos. Em vez de se perder no que os outros deveriam estar fazendo, você se concentra nas suas próprias ações. Essa abordagem também sustenta a capacidade de ação, pois se concentra sobre o que você tem influência, que é sobre si, e não sobre os outros. A virtude unilateral dá uma sensação boa por si só, tira sua atenção das preocupações negativas com os outros e o ajuda a sentir a "bem-aventurança da falta de culpa", pois você sabe que está fazendo o melhor possível.

A virtude unilateral não é dar a cara a tapa nem ser um capacho. Você ainda tem autocompaixão, defende suas necessidades e observa o que o outro faz com o passar do tempo. Essa é sua melhor estratégia para incentivar os outros a tratá-lo bem. Se você respeita o que as outras pessoas querem, evitando entrar em rixas repetitivas, elas costumam ficar mais receptivas e sensatas. E, depois de cuidar do seu lado da rua, você estará em posição melhor para pedir que cuidem do delas.

Conheça seu próprio código

A virtude unilateral começa com o conhecimento de como, verdadeiramente, você quer falar e agir. Esse é seu "código de conduta" pessoal. Embora possa ser influenciado por outros, cabe fundamentalmente a você decidir o que entra nele.

Escolha um relacionamento difícil e complicado. Mentalmente ou no papel, anote o que você gostaria de fazer e o que não gostaria. Podem ser padrões morais, abordagens habilidosas e os acordos que fez. Por exemplo, já tive o seguinte em alguns relacionamentos difíceis:

FAZER	NÃO FAZER
Lembrar que o outro teve um dia difícil	Interromper quando ele fala
Começar dizendo o que concordo	Perder a calma
Ligar se for me atrasar	Importunar os outros
Sair cedo e chegar na hora	Fazer questão de provar meu ponto de vista
Admitir minha parte do problema	Discutir sobre o passado
Tentar prever as necessidades do outro	Ser crítico em excesso

Reserve alguns minutos para imaginar como seria se você reagisse de acordo com esse código, principalmente em conflitos. Não é uma garantia de resultados melhores, mas a probabilidade aumenta. E não importa o que o outro faça: você vai saber que agiu da melhor maneira possível. Pode parecer bobagem registrar um código tão óbvio, porém, saber o que há nele – e facilita muito tê-lo por escrito – é bastante útil, principalmente em relacionamentos difíceis.

Viva unilateralmente

Se às vezes você não ficar à altura de seu código, não se preocupe. Eu mesmo não fico. Isso não significa desistir. Às vezes, é preciso verificar novamente se seu código é realista e o que nele tem importância verdadeira para você. Se for adequado, revise-o e comprometa-se com a versão atualizada. Mas, em geral, basta notar que você precisa voltar ao bom caminho. Eis algumas sugestões para se manter nesse caminho, principalmente em relação ao que é mais desafiador para você.

Encha seu próprio copo

Quando cuida das próprias necessidades, você se torna naturalmente mais paciente e generoso com os outros. Do contrário, por melhores que sejam suas intenções, não é possível tirar leite de uma caixa vazia. Pense no que examinamos sobre ficar a seu favor, gozar a vida e cuidar do corpo. É muito mais fácil se manter fora da zona vermelha quando você está descansado, bem nutrido e feliz.

Livre-se do que turva suas reações

Considere as vezes em que foi difícil agir com virtude unilateral e pergunte-se: quais foram os fatores que contribuíram para isso? Talvez fome ou falta de sono, bebida em excesso ou já estar irritado com o dia estressante no trabalho. Talvez seus ressentimentos com a outra pessoa tenham levado a uma reação exagerada. Pense em experiências anteriores na vida, principalmente na infância, que podem ter afetado você. Sejam quais forem os fatores, tenha consciência deles e, quando estiverem em jogo – quando for discutir um assunto complicado com seu parceiro depois de tomar um vinho, por exemplo –, tenha cuidado extra.

Mantenha o foco

Em casa ou no trabalho, enquanto você cumpre suas tarefas e toma cuidado com as palavras e o tom de voz, pode ser tentador criticar quem não faz o mesmo – ainda que o comentário assuma a forma de um mero revirar de olhos ou uma fungada de exasperação. No próximo capítulo, vamos ver como agir quando precisar tratar de algum problema com os outros, mas, em geral, esses comentários deixam escapar o pior de dois mundos: não são claros nem sérios a ponto de satisfazer sua reclamação, mas inflamáveis o bastante para provocar uma briga. Em vez disso, é melhor se concentrar nas suas responsabilidades e se manter fiel ao seu código.

Dê atenção aos pedidos e reclamações do outro

Em algumas famílias e culturas, é quase um tabu solicitar alguma coisa ou dizer o que incomoda, mas, como dependemos uns dos outros, temos que fazer pedidos. E, quando se sentem rejeitadas ou maltratadas, as pessoas precisam se sentir capazes de falar – de "protestar", no sentido mais simples da palavra.

Recorde uma ocasião em que alguém deu atenção a um pedido ou uma reclamação sua. Como você se sentiu? Isso fez bem ao relacionamento? Ao agir dessa maneira, você oferece benefícios semelhantes à outra pessoa e ao relacionamento de vocês.

Na maioria das vezes, os pedidos e reclamações dos outros se resumem a pensamentos, palavras ou atos pequenos e factíveis: "Pode se lembrar do nosso aniversário de casamento?" "Fico muito nervoso quando você grita comigo." "Dá para tampar a pasta de dente?" "Preciso que você me dê atenção total quando conversamos." Atender aos pedidos do outro pode custar tempo e atenção, mas, geralmente, isso é muito menos do que o custo de tensão e conflito. Além disso, a outra pessoa ficará mais disposta a lhe dar algo em troca.

Raramente somos comunicadores perfeitos, e nossos pedidos e reclamações costumam vir embrulhados em eufemismos, torrentes de palavras confusas, exageros, questões acessórias, falsidades, moralismo, acusações, justificativas, exigências e ameaças. Lembre-se de que você não tem que concordar nem se distrair com a pilha de feno que cerca a agulha única e real que pretende abordar. Faça o possível para achar a agulha, decida por conta própria e com sensatez o que pode fazer e então aja com consistência.

Pense em como se sentiria se o tratassem da mesma forma. Quando age com virtude unilateral – ao lado de autonomia, empatia, compaixão e bondade –, você lança as bases para relacionamentos saudáveis, cooperativos e gratificantes.

PONTOS-CHAVE

- Todos os relacionamentos têm algum grau de intimidade, não só os românticos.
- Um "eu" forte em meio ao "nós" promove intimidade. Essa sensação de autonomia pessoal é sustentada pelo estabelecimento de limites claros e pela afirmação da individualidade dentro da mente.
- A empatia é necessária para a intimidade. No cérebro, diversas redes neurais nos ajudam a criar identificação com pensamentos, emoções e ações dos outros. Você pode desenvolver mais empatia dentro de si e aproveitar melhor essa empatia quando interagir com as pessoas.
- Compaixão e bondade podem ser fortalecidas, como qualquer outro recurso psicológico. Reconheça o sofrimento, observe nossa humanidade compartilhada, separe aprovação de compaixão e internalize, deliberadamente, afeto pelos outros.
- Concentrar-se nos defeitos dos outros cria impasses e ressentimento. É melhor treinar a virtude unilateral: concentre-se em suas próprias responsabilidades e no seu código pessoal de conduta sem se importar com o que os outros façam. Isso traz a "bem-aventurança da falta de culpa", reduz conflitos e aumenta a probabilidade de que o tratem bem.

QUARTA PARTE

RELACIONAR-SE

CAPÍTULO 10

CORAGEM

*Sábio será quem for pacífico,
afetuoso e destemido.*

DARMAPADA

Passei por alguns momentos apavorantes no alto das montanhas, mas a maior parte das vezes em que fiquei ansioso foi no trato com as pessoas. Acho que isso acontece com a maioria de nós. Precisamos de coragem em nossos relacionamentos, e o significado da raiz dessa palavra é muito adequado: "coração".

Neste capítulo, veremos como nos proteger e nos defender de modo que fiquemos seguros na relação com outras pessoas e *sintamos* assim. Começaremos vendo como falar com o coração, com respeito próprio e habilidade. Depois examinaremos maneiras eficazes de nos afirmarmos. E terminaremos com meios de apaziguar conflitos em relacionamentos.

FALANDO COM O CORAÇÃO

Pense numa pessoa importante para você. Pode ser um cônjuge, filho, irmão, pai, mãe, amigo ou colega de trabalho. Caso tenha se sentido rejeitado, irritado ou magoado alguma vez por essa pessoa, você conseguiu falar com ela a respeito? Se a aprecia ou a ama, exprimiu esse sentimento? Se às vezes errou, admitiu?

Coisas importantes que não são ditas levam a ressentimento, solidão e à perda da chance de descobrir a própria verdade ao falar sobre elas. As pessoas não costumam falar o que acham bom, o que acham ruim e o que realmente gostariam que fosse diferente nos relacionamentos. É como se fossem dois barcos flutuando um perto do outro. Cada mensagem não enviada cai entre eles como uma pedra pesada, gerando ondas que os afastam.

Reserve um momento para pensar no peso do que não é dito nos seus relacionamentos. Quais têm sido os efeitos desse silêncio sobre você e sobre as pessoas com quem você se relaciona?

Às vezes simplesmente não é possível, adequado nem seguro falar sobre um assunto, então precisamos utilizar nossos recursos interiores, como a autocompaixão. E quando é possível, abrir-se por completo costuma assustar. Falar sobre coisas difíceis sem piorá-las também exige habilidade. Nessas ocasiões, precisamos de *coragem interpessoal* para nos mantermos a salvo e falar sabiamente com o coração aberto.

Segurança em primeiro lugar

Comunicar-se de forma autêntica tem riscos, entre eles a vulnerabilidade emocional e, dependendo do assunto abordado, isso pode abalar o relacionamento. Eis algumas maneiras de manter o máximo de segurança ao se comunicar.

Reconheça o perigo

A triste realidade é que a violência ou a ameaça de violência obscurece muitos relacionamentos. Se houver qualquer risco nesse sentido, conte a alguém que possa ajudar, como um médico, pastor ou terapeuta. Também há diversos telefones de apoio, abrigos e outros recursos de apoio. Ninguém deveria temer agressão física num relacionamento. Por mais difícil que seja, é importante primeiro resolver essa questão antes de tocar em qualquer assunto.

Um tipo de perigo diferente é o uso de suas palavras contra você. Por exemplo, pode haver consequências sérias na disputa pela guarda dos filhos num divórcio. Fique atento a qualquer ingenuidade ou otimismo de sua parte que possa levá-lo a confiar mais do que deveria em alguém. Se, depois de refletir, você ainda decidir dizer alguma coisa, saberá onde está pisando.

Também considere o perigo de simplesmente abalar uma pessoa frágil sem obter nenhum bom resultado. Por exemplo, quando meus pais estavam no fim da vida, não contei a eles muitas coisas por saber que só iria perturbá-los.

Conheça sua verdade

Tente ser muito claro sobre o que você vê, sente e quer naquele relacionamento. Reserve algum tempo para esclarecer as coisas dentro de si. Imagine dizer a um amigo ou, talvez, a um ser espiritual tudo o que está em seu coração. Você pode escrever uma carta que nunca enviará. Se for adequado, converse sobre o relacionamento com mais alguém para esclarecer o que vem acontecendo e pensar sobre o que fazer.

Fale sobre falar

As boas conversas sobre questões importantes costumam ziguezaguear, esquentar e depois esfriar, até enfim serem abordadas com suavidade. Tudo bem se forem confusas e não seguirem um roteiro perfeito, mas, se você achar inseguro trazer à luz certos temas ou se a interação sair dos trilhos ou não parecer produtiva, talvez ajude falar sobre falar. Não se dispor a discutir o modo como vocês interagem é um problema grave em qualquer relacionamento importante. Os bons relacionamentos se baseiam em boas interações, e é difícil um relacionamento melhorar se as interações não melhoram.

Conforme se prepara para falar sobre falar, pense no que ajuda suas interações com a outra pessoa a serem boas e o que as faz dar errado. Então, quando falarem, tente se concentrar nas regras sobre o que fazer e o que não fazer que se apliquem a ambos vocês *daqui para a frente*. Dessa maneira, é menos provável que se distraiam culpando um ao outro e discutindo sobre o passado. Por exemplo, vocês podem concordar em:

Dar um ao outro o mesmo tempo para falar.
Não tocar em questões importantes logo antes de dormir.
Não gritar nem ameaçar.
Não discutir na frente das crianças.

Verifique se as palavras que está usando são claras para vocês dois, definindo o que é "gritar" ou "discutir", por exemplo. É possível acrescentar uma regra de pedido de tempo, na qual qualquer um de vocês pode dizer que precisa de uma pausa de um minuto ou do resto da noite – desde que estejam dispostos a retomar a conversa no dia seguinte.

Tome o cuidado de respeitar as regras básicas. Se o outro as descumprir, tente discutir isso e voltar aos trilhos. Em última análise, encerre a conversa se for preciso. Já estive em situações em que disse, essencialmente: "Quero conversar com você, mas se continuar falando comigo dessa maneira terei que ir embora."

Você não pode fazer o outro tratá-lo de determinado modo, mas pode dizer o que quer. Depois disso, você verá o que o outro vai fazer e poderá decidir por conta própria o que isso significa e o que pretende fazer com o relacionamento. Por exemplo, você pode decidir distanciar-se de certas questões que provocam briga. Ou mesmo terminar o relacionamento.

Dividindo experiências e resolvendo problemas

Boa parte da comunicação é apenas dividir experiências. "Gostei da sua apresentação na reunião." "Estou com fome." "Fico danada quando esperam que eu lave toda a louça." "Esse pôr do sol não é lindo?" "Estou preocupada com nosso filho." Outro tipo de comunicação trata da solução de problemas, em que as pessoas dizem coisas como: "Este é o meu plano para o novo produto." "Ligue para o pediatra." "Gostaria que você me apoiasse nas reuniões de trabalho." "Não, você não tem chegado em casa a tempo de jantar conosco." "Se você parar de me interromper, vou achar mais fácil escutar o que diz."

As duas maneiras de falar são importantes e se combinam em muitas interações. Ainda assim, são bem diferentes, como você pode ver:

DIVIDINDO EXPERIÊNCIAS	RESOLVENDO PROBLEMAS
O que achei	O que temos que fazer a respeito
"Sinto assim"	"É assim"
"Sou"	"Você é"
Pessoal, subjetivo	Impessoal, objetivo
Foco no processo, no relacionamento	Foco no resultado, na solução
Juntos	Separados
Você é o especialista	Os outros podem discordar de fatos ou planos
Sua verdade por si só	Persuasão, influência, insistência

Precisamos mesmo resolver problemas, e veremos isso na próxima seção, mas "conversar sobre problemas" pode escorregar facilmente para uma briga, ainda mais quando a questão é complicada ou há um acúmulo de coisas não ditas. Já a "conversa sobre experiências" fica em terreno mais seguro. Quando você diz "É ruim quando X acontece", o outro pode questionar, mas quando você diz "Eu *me sinto* mal quando X acontece", é mais difícil alguém dizer "Ah, não se sente, não!". Sua experiência, *em si*, não é uma exigência feita aos outros, e é menos provável que compartilhá-la provoque alguma rejeição. Quando você fala de sua experiência, é mais fácil pedir aos outros que façam o mesmo.

Em geral, vale a pena dividir sua experiência por si só. Além disso, se a solução de problemas estiver ficando tensa ou controversa, é útil passar para a conversa sobre experiências – talvez sobre o que você está sentindo durante a interação. Se a conversa vai e vem entre os dois tipos de comunicação, às vezes é bom citar explicitamente a transição. Por exemplo, se você acha que está expressando seus sentimentos e o outro começa a tentar "consertar" você, isso é algo irritante, mesmo quando bem-intencionado. Além disso, pode transmitir uma mensagem implícita, como: "Sei mais do que você." "Sou o professor, você é o aluno." "Sou saudável; você, não." Por outro lado, quando você acha que só está tentando resolver um problema prático, pode ser frustrante a outra pessoa começar a falar de sentimentos. É como se uma pessoa dançasse balé e a outra, tango. Tentem concordar – tácita ou explicitamente – sobre que tipo de conversa terão, para que ambos dancem a mesma música.

Em geral, é melhor começar com a conversa sobre experiências e depois, quando necessário, falar sobre problemas. Quando meus filhos eram pequenos, descobri um pequeno lema – "Comece unindo" – que me tornou um pai e marido melhor. Entrar numa interação com empatia, compaixão e bondade é uma forma de unir. Dividir experiências em vez de oferecer análises ou conselhos também promove a união. Quando nos sentimos conectados à outra pessoa, é mais fácil resolver juntos os problemas.

Falando com sabedoria

Os relacionamentos são construídos por interações, e as interações são construídas pela comunicação que vai e vem, como uma bola de tênis. Quando chega a sua vez de "bater na bola", você tem uma série de opções, dependendo do que a outra pessoa acabou de dizer. Algumas são mais sábias do que outras.

Sabedoria é uma palavra pomposa, mas se resume à combinação de habilidade e bondade. Quando falar, o máximo que você pode fazer é tentar o melhor a partir da sua lista de opções. Então a outra pessoa dirá algo em resposta, mandando a bola da conversa para o caminho da sua mente, e você terá outra oportunidade de devolvê-la da maneira mais sábia possível. Esse modo de ver as interações é um aspecto da virtude unilateral: enfatizar sua responsabilidade pelo que diz e trazer a paz de espírito que vem de saber que você fez o máximo que pôde. Também é interessante reduzir questões secundárias – como seu tom de voz ou uma palavra mal escolhida – nas quais os outros possam se concentrar para não tratar do assunto sobre o qual você está tentando conversar.

Em termos concretos, o que significa falar com sabedoria? Pense num relacionamento ou numa interação recente que tenha sido difícil para você – talvez conversas que se transformaram em brigas ou silêncios frios e tensos – e veja se as sugestões a seguir teriam ajudado.

Faça um checklist mental de discursos sábios

Para mim, vem sendo muito útil ter em mente esta definição de discurso sábio da tradição budista:

1. **Bem-intencionado:** visa ajudar, não ferir; não se baseia em má vontade.
2. **Verdadeiro:** nem tudo precisa ser dito, mas o que for dito é exato e sincero.
3. **Benéfico:** é agradável ou útil a outros, a um dos dois ou a ambos.
4. **Oportuno:** acontece numa boa hora.
5. **Sem rispidez:** ainda que o conteúdo seja firme, apaixonado ou veemente, o tom de voz e as palavras não são cruéis, desdenhosos nem agressivos.

Há um sexto padrão a ser seguido no discurso, se possível:

6. **Desejado:** seja ponderado para não se impor aos outros; mesmo assim, fale como achar melhor.

Se a interação estiver indo bem, continue. Se ficar acalorada ou desconfortável demais, veja se sua própria fala ainda é sábia. Especificamente, cuide para sua fala não ser ríspida. Não é o que dizemos, mas o modo como dizemos que geralmente mais fere ou provoca. Ao usar o discurso sábio, sinta no corpo como é esse modo de se comunicar, inclusive suas expressões faciais, o tom de voz, os gestos e posturas. Assimile várias vezes essa sensação, amplificando-a e recebendo-a para que o discurso sábio fique cada vez mais automático e concreto para você.

Fale por si

É um conselho clássico enfatizar as "declarações sobre mim" em vez das "declarações sobre você". Quando somos abertos e genuínos, estimulamos o outro a fazer o mesmo. Tome cuidado para não tentar dizer o que o outro pensa, sente ou pretende, como: "Você fez isso de propósito." "Você quer me derrubar na equipe." "Você não se importa." "Você está projetando sua mãe em mim." "Você só pensa em si." Em vez disso, concentre-se em declarações como: "Quando você fez aquilo, fiquei magoado." "Eu me sinto prejudicado por você." "Não me sinto respeitado por você."

Experimente a Comunicação Não Violenta

A Comunicação Não Violenta (CNV) é uma maneira estruturada de falar desenvolvida por Marshall Rosenberg. Tem complexidades que vale muito a pena examinar, mas a essência é simples: "Quando X acontece, sinto Y porque preciso de Z."

A primeira parte, X, é descrita da forma mais factual possível, como faria um observador neutro. Por exemplo, você poderia dizer: *"Quando seu relatório está incompleto..." "Quando você chega em casa meia hora depois do combinado para o jantar..." "Quando estou falando e você não me olha..." "Quando você não toma a iniciativa na cama..." "Quando você não me apoia quando seu pai me diz como ser um pai/mãe melhor..."* Mas não diga: *"Quando você vacilou no trabalho..." "Quando você não se preocupa com esta família..." "Quando sua mente divaga por aí..." "Quando me trata bem..." "Quando você me critica para alegrar seu pai..."*

A segunda parte, Y, trata da sua experiência, principalmente suas emoções, seus sentimentos e desejos, em vez das suas opiniões, juízos ou soluções para o problema. Se ampliarmos os exemplos de X, você poderia dizer: *"Fico preocupado com esse projeto..." "Fico zangada e insegura quanto à sua capacidade de cumprir promessas..." "Sinto-me sozinho por dentro..." "Sinto falta do seu afeto..." "Todo o meu corpo fica tenso e temo por nosso casamento..."* Mas não diga: *"Sinto que você é preguiçoso e pouco confiável..." "Sei que você preferiria estar trabalhando..." "Você é mau ouvinte..." "Você não me quer..." "Você acha que sou um pai/mãe ruim..."*

A terceira parte, Z, cita uma ou mais necessidades humanas universais e compreensíveis que estão por trás do que você sente. A partir dos exemplos em X e Y, você poderia dizer: *"Preciso ter confiança nas pessoas no trabalho." "Nossos filhos precisam saber que são prioridade para você."*

"Preciso sentir que existo para as outras pessoas." "Preciso me sentir desejado como amante, não só apreciado como pai." "Preciso sentir que meu parceiro é leal a mim." Mas não diga: *"Preciso que você abra os olhos e leve este emprego a sério." "Nossos filhos não precisam de um pai ausente." "Preciso que você concorde comigo." "Temos que fazer amor duas vezes por semana." "Você tem que parar que falar com seu pai."*

Muitas conversas boas não seguem a forma exata da CNV, mas, se estiver falando com alguém e a conversa estiver ficando acalorada ou saindo dos trilhos, começo a usar a estrutura da CNV. Em geral, a situação melhora quando faço isso.

Mantenha os outros no coração

No calor do momento, é fácil se deixar levar por seu próprio ponto de vista e pela montanha-russa emocional e perder de vista o que acontece dentro da outra pessoa. Talvez o outro esteja preocupado com os filhos, frustrado com os colegas de trabalho ou estressado com a falta de dinheiro. As ações dele são influenciadas por muitos fatores – uma dor de cabeça incômoda, o ônibus atrasado, traumas de infância – que não têm a ver com você. É preciso lidar com os impactos dos outros sobre você, mas talvez não seja necessário levar tudo para o lado pessoal.

É bom ter em mente as prioridades e os pontos sensíveis dos outros. Por exemplo, se eles tendem a ficar ansiosos, por que disparar alarmes desnecessários? Se reagem a determinadas palavras, tente explicar seu ponto de vista de outra maneira. Se um amigo foi negligenciado ou abandonado na infância, entenda por que algo aparentemente trivial como se atrasar para almoçar com ele pode lhe causar tanto mal. Enquanto algumas pessoas dão muita importância à autonomia, outras se preocupam mais com a intimidade. Se você prioriza uma coisa e a pessoa se importa com outra, pense em maneiras de prever e abordar a prioridade alheia sem deixar de ser fiel a si mesmo.

Em certo sentido, todos andamos por aí com perguntas penduradas como balões acima da cabeça: *"Você me respeita?" "Vai querer mandar em mim?" "Está vendo minha dor?" "Você está a meu favor ou contra mim?" "Você me ama?"* Os relacionamentos melhoram quando começamos com respostas autênticas e tranquilizadoras às questões na mente dos outros. Em geral, basta uma simples palavra, um olhar ou toque.

Talvez você precise tirar alguém dos seus negócios, do seu círculo de amigos ou mesmo da sua cama. Talvez você precise tirar alguém da sua vida completamente. Mas precisa tirar essa pessoa do seu coração?

AFIRMANDO-SE

Até nos relacionamentos mais positivos e incentivadores precisamos nos afirmar, ainda que de maneira discreta, sutil. Pode ser fazendo a defesa convincente de um plano no trabalho ou pedindo explicitamente mais ajuda em casa quando as indiretas não derem certo. A assertividade parece rude ou impositiva, mas é natural que os outros se exprimam e tentem obter o que desejam – e é natural que você faça o mesmo. (A partir de agora, usarei "querer" no sentido geral de "desejar, visar a, almejar ou necessitar" – em geral, perfeitamente adequado – em vez do sentido estreito e problemático de "carência, de ansiar ardentemente" usado no Capítulo 8.)

Os relacionamentos funcionam com delicadeza quando todos querem as mesmas coisas. Mas até que ponto isso é comum? Por exemplo, meu pai e minha mãe queriam assistir a programas diferentes na TV. Brigaram por isso até concordarem que ela escolheria o programa nos dias ímpares e ele, nos dias pares (com formação científica, ele brincava que isso dava a minha mãe sete dias a mais por ano). Os relacionamentos também vão bem quando todos fazem sua parte. Mas, novamente, é sempre assim? Quando pequenos comentários e ajustes resolvem problemas como esses, ótimo. Caso contrário, há maneiras habilidosas de abordar as questões interpessoais.

Determinando os fatos

Geralmente, as circunstâncias de uma situação não são óbvias, ou as pessoas têm crenças diferentes sobre elas. Seja qual for o caso, tente entrar em acordo sobre quais são os fatos relevantes. Via de regra, isso reduz o problema e o embasa na realidade objetiva. Por exemplo, com que frequência alguém chega atrasado no trabalho? Que palavra pesada foi dita numa briga? Quanto tempo um adolescente dedica ao dever de casa? As pessoas podem discordar sobre o *significado* dos fatos, mas os fatos em si são apenas a verdade.

Por si só ou com a outra pessoa, você pode reservar um dia ou uma semana para observar o que realmente está acontecendo. Talvez descubra que aquilo com que se preocupava ou que o irritava é, na verdade, um evento raro ou menor, ou talvez encontre indícios ainda mais fortes que o ajudem a se afirmar com mais eficácia.

Esclareça os valores

Depois de esclarecidos os fatos, é preciso relacioná-los com *valores* – que incluem prioridades, princípios e preferências. Por exemplo, pai e mãe podem concordar que raramente jantam em família, mas discordar sobre a importância disso. As pessoas costumam pensar que os valores relevantes são óbvios e compartilhados por todos – "É claro que deveríamos jantar juntos" contra "É claro que não deveríamos forçar nossos filhos adolescentes a jantar conosco" –, quando na verdade não são.

Reflita sobre o que é mais importante para você em relação a um problema e por que isso é importante. Se puder, descubra quais são os valores da outra pessoa. Tente chegar às camadas mais profundas de temperamento, criação, crença religiosa e histórico pessoal que configuram nossos valores. Veja em que ponto vocês dois se preocupam com as coisas de forma semelhante e em que ponto divergem.

Assim você tem algumas opções. É possível:

- Explicar como você se sente ou o que quer em termos dos valores da outra pessoa.
- Defender seus próprios valores.
- Criar esferas de influência nas quais seus valores decidem o que acontece numa área (por exemplo, a formatação dos relatórios no trabalho, quantas horas os filhos podem assistir à TV), enquanto os valores da outra

pessoa se aplicam a outra área (por exemplo, como falar em reuniões, o nível de exigência em relação ao desempenho dos filhos na escola).
- Baixar a guarda; se a pessoa A dá muita importância a algo e a pessoa B, não, talvez B possa aceitar o que A quer.
- Abrir mão de um valor para respeitar outros; por exemplo, pode valer a pena relaxar sobre a arrumação da casa em nome de se divertir mais com os filhos.
- Marcar posição; quando um valor for importante para você, decida se vai lutar por ele, aconteça o que acontecer.

Fique de olho no prêmio

Tente se concentrar no resultado mais importante para você e não corra atrás de outras questões. Por exemplo, conduzi a terapia familiar de um pai que estava desesperado para se sentir mais conectado com o filho adolescente, que era irritável e fechado. O pai começava relaxado e flexível, e dava para ver o filho amolecendo. Mas então o pai dava algum conselho bem-intencionado mas implicitamente crítico, e o garoto se fechava outra vez. Com o tempo, o pai aprendeu a permanecer com os bons sentimentos de conexão que cresciam entre ele e o filho. Era isso que ele mais valorizava, muito mais do que dar conselhos.

Pense nas ocasiões em que você defende um ponto de vista e a outra pessoa lhe joga um problema secundário ou um comentário inflamável. O que você faz? Por mais tentador que seja, geralmente é melhor deixar passar em branco e simplesmente voltar à sua questão. Quando me vejo nessas situações, ouço na mente uma frase de um antigo filme de *Star Wars*: "Mire no alvo! Mire no alvo!"

Consolide seus ganhos

Suponha que você queira fazer um amigo entender por que ficou magoado com algo que aconteceu entre vocês dois e, finalmente, tudo se esclareça. Talvez seja melhor deixar a situação por aí em vez de mencionar outro problema do relacionamento. Ou suponha que, tarde da noite, você esteja conversando com seu cônjuge, que aos poucos começa a perceber que o filho realmente tem dificuldade para aprender a ler. Seria inteligente esperar até o dia seguinte para começarem a pensar – e potencialmente discordar – sobre como vão conversar sobre isso com a escola.

Dificilmente um grande problema se resolve numa única conversa, e a outra pessoa pode começar a se sentir pressionada se você tratar de uma questão atrás da outra. Portanto, muitas vezes é melhor parar quando você tiver convencido o outro de seus argumentos e proteger o que já foi definido, como uma compreensão emocional mais profunda um do outro ou um acordo claro sobre certas ações futuras. Então, quando chegar a hora certa, dê o próximo passo.

Foco no futuro

Minha mãe tinha um coração imenso. Uma das maneiras de exprimir seu amor era dando conselhos. Quando meus filhos eram pequenos, ela dava a mim e à minha esposa um bocado de conselhos sobre como criá-los; e isso logo começou a nos irritar. Assim, pedi à minha mãe que, no futuro, só nos desse conselhos quando pedíssemos. Ela respondeu: "Ah, mas é o que eu faço!" Naquele momento, eu poderia ter entrado numa de nossas discussões típicas sobre o passado, mas tive bom senso e só murmurei: "Tudo bem. Então acho que não teremos problemas." E encerrei a conversa. No dia seguinte, vi minha mãe começar a nos dizer como ser melhores pais e, então, perceber o que fazia e se calar. Ela realmente mudou. A mensagem foi assimilada sem brigas.

Às vezes é preciso discutir o passado para explicar o impacto que teve sobre você ou dar um exemplo do que você espera que seja diferente no futuro, mas, em geral, isso só levará a mais uma briga. É fácil discordar sobre o passado: as pessoas se lembram de partes diferentes, têm falhas de memória, reprimem ou negam o que realmente aconteceu para se livrar de encrencas. Concentrar-se no passado – que não podemos mudar – também nos afasta do que podemos influenciar: o que vai acontecer *daqui para a frente*, as quatro palavras mais esperançosas que conheço.

Escolha uma questão importante e tente responder a estas perguntas: como seria se a outra pessoa realmente lhe desse ouvidos? Respeitasse seus desejos? Agisse da maneira adequada? Falasse com você de um jeito diferente? Desse o que você pede?

Então diga o que gostaria daqui para a frente. Descreva também quaisquer mudanças de pensamento, palavras ou atitudes que você pretende adotar. Tente dizer tudo isso de forma objetiva e específica, sem se perder no passado nem ser crítico. Você pode usar uma forma modificada da Comunicação Não Violenta. "Daqui para a frente, se pudermos fazer X, sentirei Y, porque preciso de Z." Ou, se for apropriado falar sobre a outra pessoa, a essência pode ser: "Daqui para a frente, se pudermos fazer X, acho que eu e você sentiremos Y, porque ambos precisamos de Z." Se a outra pessoa ficar na defensiva a respeito do passado, tente não se deixar levar por isso e traga o foco de volta para o futuro.

Faça pedidos, não exigências

O que comunicamos tem três elementos inerentes: o conteúdo, o tom emocional e uma declaração implícita sobre a natureza do relacionamento. Tendemos a dar mais atenção à elaboração do conteúdo, mas, em geral, o tom emocional e a mensagem sobre o relacionamento é que causam maior impacto. Se você disser alguma coisa como uma ordem – tipo "Atenda ao telefone", "Me dê isso", "Você tem que fazer..." ou "Você tem que parar com isso" –, significa que você dá ordens em seu relacionamento. Isso irrita a maioria das pessoas e torna mais difícil resolver a questão.

Por outro lado, pedir em vez de exigir mantém o foco no que está sendo tratado – em vez de deflagrar uma questão secundária –, minimiza as lutas de poder e admite e aceita o que geralmente é verdade, ou seja, que você não pode obrigar o outro a nada. Pedir também ressalta a capacidade de ação e a responsabilidade dos outros. Se eles fizerem um acordo com você, não foi sob coação, e precisarão cumpri-lo.

Às vezes é útil exprimir seu pedido com humildade e gentileza para que seja mais fácil o outro assimilar. Outras vezes, é adequado ser sério e firme. Penso no peso moral de pessoas como Nelson Mandela e na dignidade e gravidade que deram a suas causas. Você pode imaginar que incorpora características das pessoas que admira e sentir a mudança no seu jeito de ser. Então, quando falar sobre um problema com outra pessoa, deixe esse jeito de ser orientá-lo com confiança e respeito próprio. Em última análise, não importa se seus pedidos são gentis ou firmes; você tem o direito de decidir por si mesmo o que fará se não forem atendidos.

Faça acordos claros

É comum chegarmos a entendimentos implícitos que funcionam perfeitamente bem. Porém, se mal-entendidos continuam a ocorrer ou se os outros não parecem muito dedicados a cumprir o que combinaram que fariam, então acordos explícitos podem ajudar.

Primeiro, saiba com que você está concordando. Seja o mais específico e concreto. Especifique o significado de palavras indistintas, como "tentar", "ajudar", "cedo" ou "bom". Pergunte à outra pessoa como seria se o acordo fosse mantido. Se for útil, escreva o acordo de alguma maneira, como num e-mail que resuma o novo plano ou numa lista de regras da casa presa na porta da geladeira.

Em segundo lugar, examine de que maneira você pode capacitar ou apoiar a outra pessoa para que cumpra o acordo. Pergunte-se do que você desistiria para obter o que quer. Se for adequado, faça perguntas como: "O que ajudaria você a fazer isso?" "Precisa de mim para alguma coisa?" "O que o faria manter-se firme em relação a isso?" Às vezes, a resposta estará intimamente relacionada ao assunto do acordo. Por exemplo, ajudar um colega de trabalho a resolver um problema no computador pode permitir que ele termine o relatório de que você precisa.

Outras vezes, o que você pode fazer está ligado ao acordo de modo indireto. A maioria dos relacionamentos geralmente envolve dar e receber. Não é um toma lá, dá cá rígido, mas o costumeiro "Se você não se importa com as minhas necessidades, é difícil eu me importar com as suas". Por mais que você acredite no que os outros "deveriam" querer fazer, na prática, vale a pena firmar um tipo de barganha. Você dá o que eles querem numa área; eles lhe dão o que você quer em outra.

CONSERTANDO RELACIONAMENTOS

Quando andamos de bicicleta, nos inclinamos naturalmente de um lado para o outro e precisamos fazer correções para continuar na pista. É a mesma coisa nos relacionamentos, seja com um amigo, com um colega de trabalho, um parente ou cônjuge. Até mesmo nos melhores momentos, os relacionamentos exigem um processo natural de correção – chamemos de *conserto* – para esclarecer pequenos mal-entendidos e aliviar pontos de atrito. Em termos mais sérios, talvez você precise resolver conflitos, restabelecer a confiança ou mudar aspectos da relação.

Quando um conserto é necessário, temos um tipo de bandeira amarela: algo para resolver e que provavelmente dará certo. Mas, se o outro resiste a seus esforços para remendar o que está puído ou rasgado, se não conserta a falta de conserto, temos uma bandeira vermelha em qualquer relacionamento importante. Por exemplo, em sua pesquisa sobre casais, John e Julie Gottman identificaram o conserto como fator primordial para aferir a satisfação de duas pessoas pela companhia uma da outra e a probabilidade de continuarem juntas. Para lidar com as bandeiras amarelas e, se necessário, com as vermelhas, experimente os métodos a seguir.

Verifique seu entendimento

Quando nos sentimos feridos ou irritados com alguém, é fácil deixar de lado um detalhe, confundir a palavra que disseram, interpretar mal um olhar ou tirar a conclusão errada. Eu mesmo fiz isso muitas vezes. Nossa reação aos outros é configurada por nossa *avaliação* – o que vemos e como interpretamos – e nossas *atribuições*: as ideias, os sentimentos e as intenções que acreditamos estar em funcionamento dentro da mente deles. Por exemplo, se eu pensar que meu amigo ignorou meu convite para almoçar porque não quer desperdiçar tempo comigo, vou ficar zangado e me sentir desrespeitado. Mas se eu souber que ele não recebeu meu recado sobre o almoço e na verdade gostaria de me ver, então a confusão é incômoda, mas não passa disso.

Pode ser constrangedor perceber quantas vezes temos apenas um quadro parcial do que está acontecendo e acabamos tendo uma reação da qual nos arrependemos. Portanto, tente desacelerar e descobrir a verdade. O que aconteceu realmente, em que condições? Isso pode colocar os acontecimentos sob uma luz mais neutra e até positiva. A outra pessoa realmente fez um acordo específico com você? Talvez tenha sido apenas um mal-entendido sincero. Por exemplo, talvez um colega de quarto tenha achado que "lavar a louça" significava apenas pôr a louça na máquina, e não limpar o fogão e a bancada também. Quando os outros tentam lhe explicar coisas, isso significa necessariamente que acham que você é burro? Eles podem só estar tentando ajudar, embora, talvez, de maneira desajeitada.

Depois que seu entendimento estiver claro, você pode decidir se releva alguma coisa. Talvez não seja tão importante, ou talvez consertar saia mais caro do que o benefício do conserto. Seja realista sobre a capacidade dos outros de conversar sobre questões difíceis. Ou então decida seguir em frente, talvez para resolver um problema pequeno ou médio antes que se torne grande.

Saiba que você importa

Depois de saber com clareza que algo precisa de conserto, fique a seu favor na questão. Se alguém o desprezou, largou de mão, agiu como se você não existisse, ralhou com você, prometeu uma coisa e fez outra, o ignorou, desrespeitou seus limites, falou mal de você com outros, ameaçou, usou, explorou, discriminou você, enganou, mentiu ou atacou, é normal se sentir incomodado. Você merece justiça e respeito, como todo mundo.

A história, o ambiente e o que você fez não alteram o que o outro fez ou deixou de fazer. Se sua confiança foi abalada – num ponto pequeno ou em algo tão importante quanto o compromisso fundamental do outro de ser digno de confiança –, é realmente importante abordar a questão. Por exemplo, algumas pessoas insistem em manter a palavra no trabalho, mas rompem rotineiramente os acordos feitos com a família, os amigos ou o cônjuge, embora esses sejam na verdade seus relacionamentos mais importantes. Relacionamentos exigem confiança, e a confiança vem da confiabilidade. Temos a necessidade legítima de descobrir em que podemos contar com os outros.

Você não está sendo "fraco", "carente", "histérico" nem "reclamão" quando cobra comportamentos dos outros. Especificamente, não há nada errado em se sentir "vítima" se você foi vitimizado! É estranho que essa palavra tenha adquirido um toque de desdém – uma forma de culpar a vítima –, quando é apenas uma descrição do que aconteceu. Se alguém está na faixa de pedestres e é atropelado por um motorista bêbado, é claro que essa pessoa é uma vítima, e não há vergonha nenhuma nisso. Use os métodos que examinamos em capítulos anteriores, tente reconhecer quaisquer tendências dentro de você de minimizar ou justificar os maus-tratos que outras pessoas lhe impuseram e depois as deixe ir.

Fale

Quando falar com alguém, ajude-se a acreditar que o que sente é importante e que os outros devem manter seus acordos e tratá-lo com respeito. Use os passos SARE para trazer essa convicção para dentro de você.

Sem se censurar, veja se consegue entrar numa conversa com calma, usando o discurso sábio para consertar as coisas. Isso aumenta a probabilidade de que o outro seja receptivo ao que você está dizendo. Reconheça sua parte no problema, se for adequado.

Deixe que os outros saibam o impacto que causam em você. É compreensível que você evite contar a alguém que se sentiu ferido, para não parecer emocionalmente vulnerável. Ainda assim, mantenha a cabeça erguida, talvez dizendo algo como "Isso aconteceu, me feriu e acho que foi errado". Seu amor-próprio dará peso à tentativa de consertar o relacionamento.

Você pode deixar a outra pessoa sem graça, e deve julgar se isso é bom ou não. Às vezes, será melhor escolher a harmonia em vez da verdade. Mas lembre-se de que você importa, de que você está disposto a ficar sem graça quando tentarem consertar coisas com você – para que possa lhes pedir a mesma coisa – e que as questões não resolvidas ficam maiores com o tempo. As pessoas que sempre preferem a harmonia à verdade costumam acabar sem nenhuma das duas.

Ajuste o relacionamento à sua verdadeira base

Os relacionamentos se apoiam numa base de confiança, respeito e compromisso. Um relacionamento maior do que sua base é potencialmente inseguro, como uma pirâmide de cabeça para baixo. Em casa ou no trabalho, se você for justo com alguém que não será justo em troca ou se for aberto e vulnerável com alguém que mais tarde usará isso contra você, talvez seja preciso reconfigurar o relacionamento.

Suponha que você tente consertar as coisas, mas elas não melhorem, ou que você decida, por um motivo ou outro, que não fará esse esforço. E aí? Escolha um relacionamento que gostaria de reajustar e imagine que ele começou como um círculo de possibilidade (você também pode desenhar isso numa folha de papel). Então, considere o que gostaria de reduzir, abandonar ou mudar para outra direção. Talvez você tenha percebido que é melhor recusar empréstimos, tomar café em vez de bebidas alcoólicas ou evitar discutir política com essa pessoa. Saber o que você gostaria de mudar – digamos que sejam várias coisas – tira do círculo esses aspectos do relacionamento até adequá-lo à forma que lhe parecer melhor para essa relação. Ao encarar o que o relacionamento precisa ser, talvez haja uma sensação de perda, de esperanças frustradas, de desapontamento ou desencanto. Fique atento a isso e tenha autocompaixão.

Talvez haja coisas que você não pode alterar, como seu papel de cuidador de um pai ou mãe idoso ou encontros inevitáveis com alguém no trabalho. Mas, mesmo que não possa mudar algo externo, dentro de sua mente é possível recuar e limitar o impacto dos outros sobre você.

Geralmente é possível fazer algumas mudanças num relacionamento. Você pode simplesmente mudar sua maneira de agir ou explicar ao outro o que está fazendo e por quê. Depois disso, três coisas podem acontecer. Primeiro, suas mudanças podem levar a outra pessoa a tentar seriamente consertar as coisas. Se isso der certo, considere expandir o relacionamento de volta ao que era. Segundo, a pessoa ou as pessoas, como parentes, podem tentar puxar você de volta à situação que havia no passado. Lembre-se de que você tem o direito de mudar o relacionamento e lembre-se da razão de ter feito isso. Terceiro, a pessoa pode aceitar a nova abordagem ou simplesmente não ter o que fazer. Por exemplo, ninguém pode forçá-lo a retornar telefonemas ou responder a e-mails se você não quiser.

Exceto no caso de haver uma obrigação, um dever em relação a alguém, como um filho ou um paciente, você tem o direito de mudar o relacionamento se quiser. Existe certa dureza nisso, mas também pode haver delicadeza. Mesmo que não ponham em palavras, geralmente os outros percebem se lá no fundo você não se sente feliz nem à vontade com a situação. Ao agir a fim de melhorar um relacionamento para você, às vezes ele também fica melhor para os outros.

PONTOS-CHAVE

- As ocasiões em que mais precisamos de coragem costumam ser quando falamos com os outros.
- A comunicação franca e autêntica é fundamental em qualquer relacionamento significativo. Mas também é arriscada. A fim de torná-la segura para você, reconheça os perigos reais, fale sobre falar e separe o que é resolver problemas e o que é compartilhar experiências.
- Falar com sabedoria significa dizer coisas bem-intencionadas, verdadeiras, benéficas, oportunas, sem rispidez e, se possível, desejadas.
- Para garantir que alguém respeite seus pontos de vista, estabeleça os fatos e conheça seus próprios valores. Concentre-se nos resultados que deseja, consolide seus ganhos e enfatize o que vai acontecer a partir de agora. Faça pedidos, não exigências, e estabeleça acordos claros.
- Os relacionamentos são inerentemente instáveis e precisam de ajustes. Um sinal de alerta soa quando alguém num relacionamento significativo não se dispõe a consertá-lo.

- Quando fizer consertos, verifique bem se o que você desejava aconteceu. Depois, fique a seu favor e não fique sem graça de dizer aos outros que o desapontaram, feriram ou maltrataram. Se necessário, encolha o relacionamento até um tamanho e um formato seguros para você.

CAPÍTULO 11

ASPIRAÇÃO

Diga-me: o que planeja
fazer com sua vida única,
selvagem e preciosa?

MARY OLIVER

Viver é voltar-se para o futuro. Estamos sempre nos esticando na direção de uma coisa ou de outra: a próxima pessoa, a próxima tarefa, a próxima visão ou som, a próxima respiração.

Este capítulo se concentra em atender à sua necessidade de satisfação esforçando-se e alcançando resultados importantes para você, como aprofundar um relacionamento íntimo, obter um emprego melhor ou crescer rumo a um novo modo de ser em casa ou no trabalho. Vamos examinar de maneira específica como buscar suas metas estando, ao mesmo tempo, em paz com o que acontecer.

HONRANDO SEUS SONHOS

O caminho de alguém na vida – dia a dia, ano após ano – é moldado por muitos fatores. Alguns desses fatores não podem ser controlados, como sua genética ou seu local de nascimento. Mas estudos sobre o desenvolvimento de adultos mostram que você ainda tem muita influência sobre como as coisas acontecem ao longo de ciclos de estabilidade e mudança, atraindo mestres e mentores e realizando seus sonhos, inclusive os da infância.

O que você sabia quando pequeno

As crianças, inclusive as bem pequenas, sabem muitas coisas, mesmo que não consigam exprimi-las com palavras. Por exemplo, minhas lembranças mais antigas são marcadas pela consciência vigilante e melancólica de que havia muita infelicidade desnecessária em minha família, em outras crianças e nos adultos em geral. Nada horrível, só muita tensão, preocupação e implicância desnecessárias. Quando me recordo daquela época, vejo meu persistente anseio por entender por que isso acontecia e em fazer algo a respeito. Com o tempo, esse anseio se tornou um propósito condutor. Houve épocas em que o empurrei para o fundo da mente ou o esqueci por completo; em retrospecto, foi quando mais senti que me perdera no caminho.

E você? Pense nas suas primeiras lembranças e nas camadas mais jovens da sua psique. O que você via à sua volta e o que desejava? O que você sabia quando era pequeno e não conseguia exprimir com palavras na época? Quando cresceu, na adolescência e no início da idade adulta, quais eram suas ambições, ideias loucas e esperanças secretas? Pense no tipo de gente com quem imaginava estar e o tipo de pessoa que imaginava que se tornaria.

Então considere o que aconteceu com esses sonhos. Todos temos sonhos que ignoramos ou adiamos. Eles repousam dentro de nós, como a moeda no fundo do poço. Às vezes há boas razões para deixar um sonho de lado, mas, em geral, as pessoas desprezam sonhos importantes sem necessidade, julgando-os bobos ou infantis, ou os postergam. É tão fácil – dolorosa e tristemente fácil – convencer-se a deixar de lado algo que poderia lhe trazer grande realização pessoal e, ao mesmo tempo, contribuir com muita gente. Com isso em mente, vamos examinar os fatores que podem atrapalhar seus sonhos.

O impacto dos outros

Somos naturalmente influenciados pelas opiniões dos outros. Considere de que modo seus pais, amigos e professores afetaram seus sonhos. Pense em quem o incentivou e ajudou – e quem duvidou e desdenhou de você ou o sabotou. Como o efeito de tudo isso permanece na sua vida hoje? Por exemplo, você se sente à vontade para revelar seus sonhos aos outros?

Pense em suas atitudes perante seus sonhos. Então, pergunte-se: "Qual dessas atitudes são verdadeiramente minhas e quais tomei emprestadas de outras pessoas? Lá no fundo, o que quero, o que é mais importante para *mim*?"

A experiência temida

As pessoas geralmente se desviam de seus sonhos para não se arriscar a ter experiências que temem. Por exemplo, alguém pode não buscar um relacionamento romântico para evitar a rejeição. O temor dessas experiências constrói uma espécie de cerca invisível que limita a vida que nos permitimos ter.

Reserve algum tempo para pensar em como sua vida foi limitada e moldada pelas experiências que tentou evitar. Considere o que lhe aconteceu, o que viu acontecer com os outros ou o que pensou que poderia acontecer. Pense também em seu temperamento. Por exemplo, algumas pessoas são especialmente afetadas por ameaças à conexão, e para elas é prioridade evitar experiências ligadas à vergonha, como a sensação de que fizeram algo errado ou de que são "pessoas más". Outras são mais afetadas por ameaças à segurança e fazem o máximo esforço para evitar experiências ligadas à ansiedade, como viajar de avião. Pense num ponto de virada da sua vida no qual você se afastou da realização de um sonho. Naquela época, que experiências tentava evitar? Hoje em dia, você diz menos do que poderia e age menos do que precisaria para evitar o risco de determinadas experiências? Pense em como sua vida se expandiria se você se dispusesse a correr esses riscos.

As experiências temidas lançam longas sombras sobre nossos sonhos. O que tememos geralmente está enraizado na infância, e hoje é muito menos provável, menos doloroso e menos opressivo do que pensamos. Escolha algo que seja importante para você, mas cuja busca você vem adiando. Em seguida, pergunte-se: "O que estou evitando?" Tudo bem pensar em situações ou interações – e então tentar cavar mais fundo e encontrar as *experiências* desconfortáveis e estressantes que você teme nessas situações ou interações. Depois de identificar as experiências que não queria ter, pense a sério nas seguintes questões:

- Qual a chance real de que os eventos aconteçam do jeito que você teme caso procure realizar esse sonho?
- Mesmo que dê errado, qual a probabilidade de a experiência ser dolorosa? Com que rapidez começará a ser esquecida?
- Como você lidaria com a experiência? Que recursos interiores poderia aproveitar?
- Que benefícios você e outros teriam com a realização desse sonho? Que benefícios viriam de sua simples busca? Reserve alguns momentos para ter uma ideia desses benefícios. Então, pergunte-se com sinceridade: esses benefícios compensam o risco de uma experiência temida?

A essência do seu sonho

Neste momento, talvez você esteja pensando: "Bom, quando criança eu queria ser estrela de cinema, e você está dizendo que preciso ser estrela de cinema, senão nunca serei feliz?" De jeito nenhum. O sonho em si não é ser uma estrela de cinema. Esse é só um meio para atingir vários fins, como fama, prazer de atuar e sucesso financeiro. Não é um fim em si.

É comum as pessoas ficarem presas a certos meios para atingir o verdadeiro fim de seus sonhos. Mas isso as distrai do fim em si e costuma mantê-lo fora do alcance. Escolha um sonho importante e pergunte-se: que elementos emocionais ou interpessoais básicos formam a essência desse sonho? Poderia haver outra maneira de realizar essa essência, de atingir o fim ao qual o sonho aspira, além das maneiras que você tentou até agora?

Como seria isso? Quaisquer que tenham sido seus temores e limitações no passado, tenha a sensação de se entregar ao sonho hoje. Imagine que o sonho, em certo sentido, sonha você – vive por meio de você e como você. Fique com essa experiência, deixe-a se instalar e se estabilizar dentro de você. Lá no fundo, veja se consegue sentir a essência desse sonho. E veja se consegue lhe dizer "sim".

Amor, trabalho, brincadeira

Para seguir seus sonhos de maneira concreta, consideremos três áreas fundamentais da vida:

- **Amor:** amizade, relacionamentos íntimos, criação de filhos, compaixão, bondade.
- **Trabalho:** emprego, carreira, construção de um lar, ações altruístas.
- **Brincadeira:** criatividade, imaginação, diversão, passatempos, prazer, admiração.

Reserve algum tempo para avaliar cada área, sabendo que elas podem se sobrepor um pouco. O que vai bem na sua vida atual? E o que você gostaria que fosse diferente?

Um modo eficaz de melhorar cada uma dessas áreas da vida é aumentar o grau em que elas se baseiam em seus:

- **Gostos:** atividades, situações e temas que lhe dão prazer.
- **Talentos:** capacidades inatas e naturais de *todo* tipo, como escrever, consertar máquinas, fazer graça, liderar reuniões, manter a calma sob pressão, cozinhar, compor música ou tocar um instrumento.
- **Valores:** as coisas que são importantes para você, como seus filhos ou a preservação do meio ambiente.

Imagine que seus gostos, talentos e valores formam círculos distintos. A interseção de dois círculos quaisquer é boa, e a interseção dos três círculos é o ideal. Por exemplo, é provável que você se realize e tenha sucesso no seu trabalho se ele combinar o que você realmente gosta de fazer com aquilo em que é naturalmente bom e com o que lhe é muito importante. Outros fatores podem ser relevantes, como o mercado de trabalho, mas se o básico estiver certo, em geral o resto vem junto.

Para cada área da vida, pense em como aumentar, de forma realista, a presença do que você gosta de fazer, do que faz bem e do que valoriza. Na área do amor, por exemplo, se um relacionamento de longo prazo se tornou menos agradável ou prazeroso, você pode conversar com seu parceiro e examinar o que fazer para resolver. Ou, na área do trabalho, pode haver novas maneiras de usar seus talentos a serviço da sociedade, como participar da diretoria de uma instituição sem fins lucrativos.

Respeitar aquilo de que *você* gosta, o que tem talento para fazer e com o que se sente comprometido pode significar um caminho próprio, afastado das trajetórias mais convencionais. Por exemplo, há uma noção comum de que as crianças deveriam saber "o que querem ser" quando crescerem. Médico, talvez; quem sabe pintor ou astronauta. Mas muitos adultos não têm uma ocupação específica que os atraia. Na verdade, isso poderia ser muito natural, já que nossos ancestrais caçadores e coletores eram generalistas, e não especialistas, com descrições de cargo definidas. Quando você estiver no fim da vida, recordando-a, ter sido fiel a si mesmo e aproveitado as oportunidades de respeitar seus sonhos talvez se torne a mais segura de todas as apostas.

Use o tempo que tem

Há um provérbio que diz que os dias são longos, mas os anos são curtos. Uma hora, ainda mais quando estamos entediados, parece interminável. Mas, quando passam, os segundos se vão para sempre. E não sabemos o que o futuro nos reserva, o que inclusive pode ser um acidente ou uma doença logo ali. Como destacou Stephen Levine, cada um de nós chegará ao dia em que só terá um ano de vida, sem saber como chegou até ali.

A vida é frágil, passageira e preciosa. Não é mórbido reconhecer isso. Ao contrário, é um modo de comemorar os dias que temos e nos comprometer a extrair o melhor deles.

Muitos anos atrás, eu reclamava e me queixava a meu amigo Tom do tempo que levaria para terminar a pós-graduação e preencher todas as exigências do pós-doutorado para me tornar psicólogo. Eu tinha 30 e poucos anos e estava cansado de ainda ser estudante. Reclamei que teria 40 anos, o que na época parecia velhíssimo, antes de tirar a licença. Tom perguntou: "Você planeja chegar aos 40 anos?" Espantado, respondi: "Hã... é, espero que sim." "Bom, então," continuou ele, "como quer que seja?"

Pensei nas perguntas de Tom muitas ocasiões desde então. Às vezes, alguma coisa simplesmente não é possível. Por exemplo, pode ser tarde demais para mudar de carreira ou ter um filho. No entanto, é muito comum as pessoas presumirem, com demasiada rapidez e facilidade, que uma oportunidade passou irrevogavelmente.

Considere um desejo duradouro – como abrir um negócio, voltar a cavalgar, ter um relacionamento romântico ou ver o Partenon – e então escolha uma idade daqui a cinco ou dez anos. Pergunte-se: "Planejo chegar a essa idade? Como quero que seja?"

Imagine que você está se aproximando do fim da vida. O que vai deixá-lo contente por ter feito com os dias que lhe restam?

Ao pensar nisso, talvez você descubra que tem um fogo por dentro para dar mais um grande impulso à carreira ou executar mais um grande projeto. Ou talvez algo menor o atraia: ser voluntário num hospital, meditar com mais regularidade, fazer as pazes com um parente, voltar a frequentar a igreja, visitar o Grand Canyon, aprender a tocar piano, mudar-se para mais perto dos netos ou se envolver na política local. Ou talvez o que é realmente importante para você não seja uma coisa específica, mas um modo de ser, como ficar mais despreocupado, aceitar-se, ser carinhoso e divertido.

Seja o que for que o atraia, torne isso importante para você. Você pode escrever, fazer um plano de ação ou se lembrar disso todos os dias. Então planeje os passos que farão isso se tornar realidade e imagine as coisas boas que acontecerão com você e com os outros se você der esses passos. Use o processo SARE para assimilar repetidas vezes essa associação entre ações e recompensas para que você dê esses passos. Sinta o compromisso e ajude-o a ser assimilado também. Então aja para transformar seu sonho em realidade. Tente valorizar cada dia como uma oportunidade realmente única na vida.

ASPIRANDO SEM APEGO

Muitos anos atrás, passei uma semana escalando no Colorado com meu amigo Bob e nosso guia Dave. No primeiro dia, eu tive imensa dificuldade numa escalada intermediária (grau 5,8), que Bob completou rapidamente. Depois, Dave nos perguntou quais eram nossas metas para a semana. Eu disse: "Quero escalar 5,11", o que era muito difícil. Bob, um sujeito muito decidido, ambicioso e competitivo – o mesmo Bob do capítulo sobre garra; o que quase morreu congelado abrindo uma trilha para nós na neve fofa –, explodiu: "Você está louco, nunca vai conseguir, e aí vai ficar se sentindo um lixo!" Bob estava a meu favor e queria me proteger da decepção e da vergonha que ele sentiria em meu lugar. Mas comigo era o contrário. Por ser uma meta tão longínqua, buscá-la só me traria lucro: se não desse certo, não haveria nenhuma vergonha; se eu conseguisse, seria maravilhoso.

Escalamos todos os dias com Dave, e comecei a melhorar. No meio da semana, minha meta não parecia tão absurda, e Bob ficou empolgado ao ver que podia mesmo se realizar. No último dia, comecei a subir uma ranhura que era puro 5,11; cheguei ao topo sem cair e fiquei extasiado.

Isso foi um excelente exemplo para mim do que é *aspiração sem apego*: ter grandes sonhos e correr atrás deles com dedicação, mas ao mesmo tempo estar em paz com o que acontecer. Porém falar é mais fácil do que fazer. Como dar força máxima, estando na zona verde?

Tenha uma mentalidade de crescimento

A expressão "mentalidade de crescimento" vem da pesquisa de Carol Dweck sobre pessoas que se concentram mais no esforço de aprender e crescer do que no resultado que obtêm. Por exemplo, quando a pessoa joga tênis com um adversário muito melhor, a meta pode passar de ganhar pontos a melhorar o *backhand*. As pessoas com mentalidade de crescimento tendem a ser mais felizes, mais resilientes e mais bem-sucedidas. Pense numa grande meta e em como seria redefinir o sucesso em termos de desenvolver novas habilidades, entender melhor os outros ou adquirir conhecimento. Aconteça o que acontecer, você já teve sucesso.

Essa atitude facilita as metas mais ambiciosas. Com bastante frequência, é possível realizar algo muito mais significativo com um pouquinho só de incremento no esforço. As grandes metas propiciam concentração, inspiram e motivam o trabalho constante. É um contrassenso, mas quanto maior a meta, mais provável é que você a atinja.

Saiba que fracassar não tem problema

Fracassos acontecem. Nem tudo dá certo. Há uma história sobre um mestre zen que ajudou muita gente a alcançar seus objetivos. No fim da vida, perguntaram-lhe como ele se sentia sobre tudo o que fizera. Ele abriu um sorriso compungido e disse: "Um fracasso atrás do outro." Ninguém tem grandes sucessos sem grandes fracassos de vez em quando. Ao falhar, você estará em boa companhia.

Como seria mirar alto e não conseguir chegar lá? Poderia haver frustração, uma sensação de esforço desperdiçado e o medo de ser malvisto. E... você ainda estaria basicamente bem? Sua vida continuaria, seus amigos ainda gostariam de você e haveria novas oportunidades? Por causa do viés da negatividade, o cérebro se fixa nos poucos caquinhos do mosaico da realidade que realmente acenderão a luz vermelha se você falhar. Enquanto isso, ele desdenha dos muitos outros caquinhos que continuarão verdes, como o amor dos outros, o conforto da cama, a dignidade e o respeito próprio por saber que você fez o melhor possível e manteve a fé em si mesmo. No seu coração, veja se consegue aceitar o que quer que aconteça. Você pode até não gostar, mas pode ficar bem com isso.

Muitas pessoas temem que, se aceitarem o fracasso, se tornarão complacentes e desistirão. Na verdade, quanto mais você se dispuser a fracassar, mais provável será seu sucesso. O medo do fracasso é penoso como um tijolo na mochila enquanto você sobe pela estrada da vida, e a preocupação com o fracasso demanda atenção e energia. Se aceitar a possibilidade de derrota, você aumenta a probabilidade de vitória.

Não leve tudo para o lado pessoal

Tente compreender que muitas causas do sucesso ou do fracasso não têm a ver com você. Por exemplo, meu esforço me ajudou a escalar 5,11 no

Colorado, mas muitos outros fatores – a habilidade de Dave como guia, o apoio da amizade de Bob e o tempo bom no último dia – nada tiveram a ver comigo. A realidade talvez desconfortável é que muito do que molda nossa vida está além do nosso controle: fatores ambientais, genéticos, históricos, culturais, econômicos, etc. Muitos acontecimentos importantes são ditados pelo acaso – um encontro de sorte, a posição do seu currículo na pilha, um motorista descuidado que pegou outra pista.

Quando alguém fica preso à comparação com os outros, pedindo aprovação ou brigando por migalhas de crédito, é porque "eu, mim e meu" assumiram o controle. Portanto, tente levar com leveza sua noção de individualidade. A preocupação com o "ego" cria tensão e reduz o apoio que recebemos. Além disso, faz a gente se apegar, de forma estressada e possessiva, a resultados específicos – como Gollum em *O senhor dos anéis*, agarrado a "meu *precioso*!".

Deixe-se levar pela aspiração

Um modo de realizar uma aspiração é avançar rumo a ela como se estivesse fora de você, à distância, como o esforço para se agarrar a uma montanha. Pode dar certo por algum tempo, mas é muito cansativo. A outra maneira é se entregar à aspiração e deixar que ela o *puxe*, como se descesse um rio de caiaque. Na verdade, você está usando sua força de vontade para se entregar à aspiração, o que é mais confortável e sustentável.

Para ter uma ideia disso, escolha uma aspiração. Imagine-a fora de você, separada de você, distante, como uma meta rumo à qual você se força a ir e se esforça por atingir. Note como se sente. Então imagine a aspiração como um propósito que já está unido a você e que o eleva, energiza e carrega. Agora observe como se sente. Nessa aspiração específica, use os passos SARE para internalizar essa segunda maneira de se relacionar com ela. Escolha outras aspirações e tenha a sensação de ser erguido e carregado por elas. Amplifique e receba essas experiências para que a segunda abordagem da aspiração se torne habitual para você.

FAZENDO SUA OFERENDA

Muitas maneiras de amar, trabalhar e brincar são uma oferenda para os outros. Pense no que você dá, seja pequeno ou grande, em casa ou no trabalho, a amigos, a desconhecidos ou ao mundo. Todos oferecemos muito a cada dia, mesmo que não percebamos no momento.

Quando você vê as coisas que faz como oferendas, elas parecem mais simples, mais leves e mais sinceras. Até tarefas rotineiras e aparentemente triviais assumem novo valor e significado. Há menos pressão. Em vez de se preocupar com a reação dos outros, o foco passa a ser fazer o melhor possível – como aprendi muitos anos atrás, em conversa com um amigo aspirante a sacerdote zen. Ele estava prestes a dar sua primeira palestra no centro em São Francisco onde estudava, o que era importantíssimo e até sagrado para ele. Eu lera no jornal que pessoas sem-teto entravam no salão de meditação só por ser um lugar seguro e aquecido, não porque se interessassem pelo budismo. De um jeito implicante e provocador, perguntei como ele se sentia com pessoas na plateia que nem ligavam para o que ele estava dizendo. Meu amigo me olhou como se eu não tivesse entendido nada.

Estávamos sentados um de frente para o outro, e ele fez um gesto como se pusesse algo aos meus pés. "Só faço a oferenda", disse ele. "Tento fazer uma boa palestra. Talvez conte uma piada para manter o interesse. Depois disso, não está mais nas minhas mãos. O que fizerem com o que ofereço é da conta deles." Ele não disse isso com frieza ou desdém, como se não se importasse com seus ouvintes. Só estava sendo calmo e realista. E, por não tentar obrigá-los a apreciar o que ele dizia, na verdade ele teria mais probabilidade de atingi-los.

Penso na lição da árvore frutífera do meu quintal. Podemos escolher uma muda forte, plantá-la direito e regá-la com o passar dos anos – mas não podemos forçá-la a dar maçãs. Podemos cuidar das causas, mas não controlar os resultados. Só podemos fazer a oferenda.

Saiba *o que* está ofertando

É fácil perder de vista exatamente o que você quer ofertar, principalmente em situações ou relacionamentos complexos. Você pode se sentir pressionado pelo que querem que você faça ou tomar como curto um papel adquirido no início da idade adulta. Consequentemente, é bom esclarecer qual é sua tarefa, seu serviço, seu dever ou propósito e qual não é em relação a uma pessoa ou um ambiente específico. Por exemplo, quando Jan e eu nos tornamos pais, tivemos que decidir quem faria o quê. Sou o tipo de pessoa que faz listas de afazeres, e isso me ajudou a desenvolver para mim mesmo uma descrição mental do cargo de pai e marido. Então eu soube o que fazer a cada dia e não fiquei obcecado em não deixar a peteca cair.

Isso pode parecer um pouco mecânico, mas na prática é natural, informal e flexível – e, ah, muito esclarecedor e libertador. Há tranquilidade em saber que você fez sua parte e que o resto não é responsabilidade sua.

Pense em um relacionamento com um colega de trabalho, amigo ou familiar. O que lhe cabe fazer e o que cabe a eles? Por exemplo, com filhos adolescentes, você pode concluir que seu trabalho é insistir para que façam o dever de casa, ajudá-los quando necessário e impor consequências se matarem aula. No entanto, só eles podem realmente aprender. Ou considere um parceiro romântico. Você pode dar amor, atenção e afeto – porém, por mais doloroso que seja, o amor por você é a oferenda que cabe à outra pessoa lhe dar.

Geralmente nos perdemos tentando fazer algo acontecer dentro da caixa preta da mente do outro: fazer alguém pensar, sentir ou se importar de um determinado jeito. Muita frustração e muito conflito nascem disso. Quando for adequado, você pode dar sua opinião, fazer recomendações e explicar as razões. Essa é sua oferenda. O resto é decisão do outro.

Especificamente, não podemos *fazer* ninguém feliz – nem mesmo nossos filhos. Ainda assim, é comum sentirmos o peso da responsabilidade pelo estado de espírito ou pelo comportamento de algumas pessoas, principalmente da família. Podemos dar passos sensatos, que vão de perguntar como alguém se sente a levar nosso filho ao terapeuta; contudo, por mais que corte seu coração, o que os outros fazem com o que oferecemos cabe a eles.

Ou digamos que você tenha um projeto no trabalho. Pense em tudo o que pode e deve fazer... e trace uma linha em volta. Essa é sua oferenda. É o mesmo com sua carreira em geral. Compareça, prepare-se, aprenda, dedique suas horas, seja constante, faça seu serviço. Então saberá que, seja qual for sua trajetória de sucesso nesta vida, a falta de esforço não a prejudicou. Todo o resto depende de fatores diversos. Você pode usar os melhores argumentos de venda, mas não pode fazer o cliente comprar. Pode abrir uma loja, mas não fazer as pessoas entrarem. Tente não deixar que a preocupação com o que não está em suas mãos atrapalhe o cuidado com o que está ao seu alcance a cada dia.

Procure terreno fértil

Às vezes, quando fazemos uma oferenda, é como lançar sementes em solo pedregoso. Considere suas atividades e seus relacionamentos e veja se há algum destes indicadores de solo pouco fértil:

- Dar muito mais do que recebe numa amizade.
- Precisar de muito esforço para manter a empresa funcionando.
- Ajudar quem não quer ser ajudado.
- Tentar melhorar a situação e só fazer as coisas piorarem.
- Escolher o mesmo tipo de parceiro e esperar um resultado diferente.
- Brigar muito por migalhas.
- Comunicar-se aparentemente com o vácuo.
- Abordar sintomas sem curar a doença.

Quando você se dedica a algo que não dá muitos frutos, pode ficar triste e decepcionado. Talvez queira continuar tentando, torcendo para finalmente conseguir. E até pode dar certo. Mas, em geral, o melhor previsor do futuro é o passado. Veja se sabe, no fundo do coração, que a situação provavelmente não vai melhorar. Esse desencanto natural surge como o despertar de um feitiço. Cada um de nós tem muitos dons, mas tempo limitado. Em vez de se esforçar por fazer rosas brotarem no cimento, o melhor resultado, para você e para todos, seria procurar outro local de plantio.

Pense nos diferentes relacionamentos, ambientes ou atividades que podem oferecer terreno mais fértil. Nenhuma garantia, mas uma probabilidade melhor. Em geral, nossa intuição nos diz: "Tente isto." Considere seu temperamento, seus dons naturais e sua natureza interior: quem poderia fazer bom uso do que você tem? Que ambientes e atividades estimulam o melhor em você? Que tipo de pessoa parece sempre apreciá-lo? Onde você se sente mais à vontade?

Pense numa ocasião ou época da sua vida em que você realmente floresceu. Talvez tenha sido aquela semana de verão na fazenda da tia, uma peça na escola, uma palestra feita num simpósio profissional ou uma carta apaixonada a um jornal. Talvez tenha sido quando você levou um grupo de crianças para acampar, fez uma análise financeira, trabalhou num estábulo, levou comida a um abrigo para moradores de rua ou construiu um site. Quando identificar uma ocasião dessas, examine atentamente suas características. O que aconteceu de melhor nessa época?

Então pense em como você seria capaz de desenvolver algumas dessas características em seus relacionamentos, ambientes e atividades atuais, ajudando-os a se tornarem um terreno mais fértil para você. Considere também como poderia começar um novo relacionamento, ambiente ou atividade que se encaixasse bem a você: acolhedor e apreciativo, com espaço para respirar e crescer. Se é bom desejar um terreno fértil assim para seu filho ou amigo, então também é bom buscá-lo para você – em sua vida única e preciosa.

PONTOS-CHAVE

- Quando somos jovens, temos sonhos e esperanças. O que aconteceu com seus sonhos ao longo do caminho?
- As pessoas se afastam de seus sonhos por várias razões. Em geral, elas tentam evitar "experiências temidas". Considere quanto sua vida melhoraria caso você se arriscasse a ter essas experiências.
- No amor, no trabalho e no lazer, encontre o ponto ideal na interseção de três círculos: o que você gosta, o que tem talento para fazer e o que é importante para você.

- Os dias podem ser longos, mas os anos são curtos. Use o tempo que tem.
- Tenha grandes metas e esteja em paz com os resultados; tenha uma mentalidade de crescimento; saiba que fracassar não é problema e não leve o que acontecer para o lado pessoal.
- Ofereça o melhor que puder e saiba que, depois disso, a situação não está mais nas suas mãos.

CAPÍTULO 12

GENEROSIDADE

*Quem dá aumentará
suas virtudes.*

DIGHA NIKAYA, 2,197

Como a maioria das crianças, Forrest adorava doces. Certa vez, quando ele estava na pré-escola, fomos jantar num restaurante local, e o casal idoso da mesa ao lado nos observava, entretido. Quando a conta chegou com uma bengalinha doce de hortelã listrada de vermelho, dei-a a Forrest, que começou a desembrulhá-la com avidez. Como brincadeira, o homem ao lado estendeu a mão e pediu: "Você me dá seu doce?" Todos esperávamos que Forrest se agarrasse a ele possessivamente. Em vez disso, ele olhou o homem por alguns segundos... e lhe entregou a bengalinha. O homem se espantou e abriu um grande sorriso a Forrest, dizendo: "Muito obrigado, mas pode ficar." Outros fregueses próximos observavam, e houve um "Oooooooh" audível à nossa volta. Foi apenas um pequeno momento, um menininho num restaurante lotado, mas todos identificamos a generosidade que havia nele.

À primeira vista, a generosidade talvez não pareça um recurso mental, mas ela nos fortalece com a sensação da plenitude que já temos por dentro, ao mesmo tempo que nos proporciona conexão. A generosidade é uma dádiva que você recebe em seu caminho e que lhe dá ainda mais a oferecer, num ciclo positivo.

Já vimos, de várias maneiras, que quanto mais satisfação obtemos, mais podemos satisfazer os outros. Neste capítulo, começaremos reconhecendo e expandindo a generosidade na vida cotidiana. Em seguida, veremos como ter equanimidade na compaixão para continuarmos sendo generosos sem nos esgotarmos. Então mergulharemos numa das formas mais importantes porém mais difíceis de doação, que é perdoar o outro e a si mesmo. Concluiremos com a expressão mais ampla de generosidade: expandir o círculo de "nós" para incluir cada vez mais "eles".

DOAÇÃO COTIDIANA

A essência da generosidade é o *altruísmo*, dar sem esperar nada em troca. Como eu disse no capítulo sobre confiança, o altruísmo é raro na natureza, pois há quem se aproveite da generosidade alheia. A grande exceção a essa regra é nossa espécie *Homo sapiens*. A evolução da capacidade social de nossos ancestrais lhes dotou de maneiras cada vez mais poderosas de reconhecer e punir os aproveitadores. Enquanto isso, a generosidade de um indivíduo – dividir comida, defender o grupo contra a agressão dos de fora – aumentava a probabilidade de sobrevivência dos outros que tivessem os mesmos genes daquela pessoa. A tendência ao altruísmo foi protegida e valorizada e, assim, ficou registrada em nosso DNA. Em muitos aspectos, somos *Homo beneficus*: o humano generoso.

Em consequência, a generosidade está em toda parte. Exemplos óbvios são deixar uma gorjeta na caixinha de Natal da padaria ou mandar um cheque para uma instituição de caridade, mas pense também em todos os tipos não financeiros de doação. Pense num dia típico e nas muitas vezes em que você ofereceu atenção, paciência, ajuda ou estímulo. Talvez você tenha se solidarizado com um colega de trabalho que enfrentou um dia difícil, talvez tenha recolhido o lixo da calçada ou ajudado a organizar um evento na escola. Com filhos, parentes, amigos ou seu parceiro, provavelmente você faz coisas que não são sua preferência naquele momento e se esforça para levar os outros em conta.

É claro que isso não significa ser generoso por estar sendo pressionado, usado ou manipulado. Quando forçada, a generosidade faz mal. Além disso, é uma oportunidade perdida para quem poderia aproveitar melhor o que você oferece. Quando você sabe que se protegerá para não se doar em demasia, é seguro ser ainda mais generoso. Portanto, permita-se fazer mudanças quando um relacionamento estiver desequilibrado e dê só o que quiser dar.

O que você doa, seja o que for, não é diminuído pelo que não doa nem pelo que recebe dos outros. No decorrer do dia, observe algumas das muitas coisas que você doa. Desacelere para sentir como é ser generoso e deixe essa sensação ser assimilada. Tente se reconhecer como uma pessoa generosa e note como se sente por dentro ao se ver assim. Pode haver uma abertura no coração, uma sensação de valor e amor. Você pode sentir uma felicidade que ajuda a sustentar a generosidade.

Quando somos incapazes de doar algo que temos a oferecer, isso dói por dentro. Há amor, mas ninguém a quem dar esse amor; há talento, mas nenhum lugar onde usá-lo. A tristeza silenciosa de muita gente vem de sentir que suas contribuições não têm por onde sair. É importante achar canais pelos quais suas dádivas possam fluir, principalmente as do cotidiano, que parecem pequenas. É espantoso como pode ser simples melhorar a vida dos outros, ainda que somente com um pequeno elogio ou a dedicação de atenção total por um tempo maior do que o comum. Escolha alguém e procure maneiras de ser especialmente útil ou apreciativo; veja como você se sente e o que acontece com a outra pessoa.

Pense num amigo, num colega de trabalho, num parente. Há algo que você gostaria de dar – como afeto, ajuda prática ou desculpas – mas se contém? Talvez haja uma boa razão para isso. Às vezes estamos tão absortos em relação ao que queremos dar – refletindo sobre como vão reagir, consertando cada detalhe ou aguardando o momento absolutamente perfeito – que nos atrapalhamos. Veja o que acontece quando você tira a atenção de si e a põe nos outros. De que eles precisam, pelo que anseiam, onde lhes dói e como você poderia ajudar?

COMPAIXÃO COM EQUANIMIDADE

A palavra "compaixão" vem das raízes latinas *com* e *pati*, que significam "sofrer *com*". Acrescentamos o sofrimento dos outros ao nosso, uma dádiva no âmago de nossa humanidade. Como nos comover com a tristeza alheia sem ficarmos inundados, esvaziados ou exauridos?

Para manter a compaixão, precisamos de *equanimidade*, uma espécie de amortecedor interno entre o núcleo de nosso ser e o que passa pela consciência. Algumas experiências são o primeiro dardo, como sentir o sofrimento dos outros. Com a equanimidade, elas não se tornam o segundo dardo que nos força a entrar na zona vermelha reativa. Podemos ver o quadro mais amplo, inclusive a doçura no meio do amargor, e as muitas causas, em sua maioria impessoais, que levaram ao sofrimento. Por exemplo, certa vez uma professora minha descreveu a viagem num barquinho que desceu pelo Ganges ao alvorecer, com lindas torres rosadas iluminadas à esquerda e piras fúnebres fumegantes à direita. Ela falou da necessidade de abrir seu coração para integrar e, com sabedoria, manter equilibrados esses dois aspectos da vida. O equilíbrio nos permite sentir a dor dos outros sem sermos levados por ela – o que ajuda a nos abrirmos para ela de forma ainda mais completa.

Nestas páginas, examinamos muitas maneiras de desenvolver a equanimidade em geral. Para ter equanimidade ao lado da compaixão, é bom nos centrarmos no corpo, com consciência das sensações da respiração, enquanto sentimos a dor do outro. Reflita sobre o fato de que o sofrimento faz parte de uma vasta teia de causas e efeitos. Não para justificá-lo nem diminuí-lo, mas para ver o quadro mais amplo com perspicácia e aceitação. Observe como é ser profundamente tocado por alguém, ao mesmo tempo que mantém uma estabilidade interior de tranquilidade na consciência. Deixe esse modo de ser se estabelecer em você, para que possa aproveitá-lo no futuro.

Ao encarar a enormidade do sofrimento neste mundo, talvez você se sinta inundado por uma sensação de desespero com a impossibilidade de fazer o suficiente. Se isso acontecer, é bom realizar algum tipo de ação, pois a ação reduz o desespero. Há uma história sobre duas pessoas que caminhavam por quilômetros de praia, onde milhares de estrelas-do-mar jogadas pela maré na beira d'água morriam ao sol. Uma dessas pessoas se abaixava de tantos e tantos passos e jogava uma estrela de volta na água. Dali a algum tempo, a outra disse: "Elas são tantas que sua ação não faz nenhuma diferença." A primeira pessoa respondeu: "Faz toda a diferença do mundo para as poucas que pego."

Pense nas pessoas da sua vida, inclusive aquelas que você não conhece bem. Você poderia fazer a diferença para alguém? Coisas aparentemente pequenas podem ser muito tocantes. Considere a humanidade em geral e os animais e veja se algo o atrai. Não para sobrecarregá-lo, mas para afastar o desespero e a desesperança e saber que você devolveu ao oceano mais uma estrela-do-mar.

Reserve também algum tempo para refletir sobre o que já fez para ajudar e o que faz atualmente. Imagine como tudo isso se espalhou pelo mundo de maneiras visíveis e invisíveis. A verdade do que você doou repousa ao lado da verdade de que ainda há muito sofrimento, e conhecer a primeira ajuda seu coração a se manter aberto à outra.

PERDOANDO OS OUTROS – E A SI MESMO

Digamos que alguém o maltratou de verdade ou cometeu um erro grave – com você ou com outros. Depois de lidar com as consequências e afirmar-se como considerar melhor, o que fazer? Se achar correto, você pode aproveitar a generosidade do perdão.

Perdão total

Há dois tipos de perdão. No primeiro, você concede *perdão total*. É a absolvição completa do que aconteceu, para então recomeçar do zero. Você não busca indenização, punição nem pagamento de dívidas. Pode continuar acreditando que o que aconteceu foi injusto, moralmente errado ou criminoso, mas também desejar o bem e até amar a pessoa. As rodas da justiça continuarão sempre girando de forma impessoal, mas você não leva rancor nem ressentimento no coração. Tem alguma compreensão das forças que levaram as pessoas a fazer o que fizeram. Sente compaixão por elas, talvez com a sensação de que suas ações foram provocadas pelo sofrimento. Você valoriza as boas qualidades delas como seres humanos e se dispõe a retomar o relacionamento.

Embora concedido unilateralmente como escolha pessoal, todo tipo de perdão é afetado pelo que os outros fazem. É mais fácil dar perdão total a quem admitiu o que fez, mostrou remorso, tentou consertar a situação e tomou providências para evitar algo semelhante no futuro.

Ainda assim, mesmo quando os outros dão esses passos – e principalmente quando não dão –, o perdão total pode não lhe parecer correto. Talvez você acredite que nenhum arrependimento poderá consertar as coisas. Ou pode sentir que o perdão total *talvez* seja possível algum dia, mas que ainda não está pronto para isso. Talvez ainda esteja em choque, a ferida é muito recente, o pesar, intenso demais. Talvez queira mais tempo para ter certeza de que não está sendo manipulado por alguém que o prejudica, pede perdão... e faz tudo de novo. Ou ter certeza de que não está escolhendo o perdão total porque outras pessoas lhe dizem que o que aconteceu não foi tão mau assim e o pressionam a superar.

Às vezes, por uma razão ou outra, o perdão total está fora de questão. Mesmo assim, não é bom se preocupar com o que aconteceu, ruminando a respeito com dor e raiva.

Perdão desvencilhado

É aí que o *perdão desvencilhado* é muito útil. Não há nenhuma presunção de absolvição moral, de compaixão ou de retorno do relacionamento. Trata-se de um patamar muito mais baixo. A pessoa que você perdoa dessa maneira pode, na verdade, continuar negando que algo de ruim aconteceu e até jogar a culpa em você. Ainda assim, você está se desvencilhando, encerrando a questão, libertando-se dela e seguindo em frente emocionalmente. Está se ajudando a lidar com as coisas no modo responsivo – a zona verde –, faça o outro o que fizer.

Com esse tipo de perdão, você ainda pode buscar indenização ou punição como questão de justiça, mas sem malícia ou desejo de vingança. Talvez tenha que lidar com as consequências do que a outra pessoa fez como um primeiro dardo, mas não acrescenta o segundo dardo da recriminação e do ressentimento nem envolve sua família e seus amigos. Se você limitar, reduzir ou encerrar o relacionamento com determinadas pessoas, age assim para se proteger, não para ferir quem o feriu. Quando se lembra do que aconteceu, talvez ainda sinta dor, mas sua atenção não fica voltando a isso toda hora como a língua numa afta. Você não carrega mais esse fardo.

É comum começar com o perdão desvencilhado e acabar chegando ao perdão total, mas não há suposição de que isso vá ocorrer. Ainda assim, se o perdão for como uma casa de dois andares, saber que você não é obrigado a subir para o segundo andar (o perdão total) torna mais fácil entrar na casa.

Bases do perdão

Os dois tipos de perdão são sustentados por três condições subjacentes. Em primeiro lugar, a hora certa tem de chegar. O perdão é semelhante aos estágios do luto de Elisabeth Kübler-Ross:

- **Negação:** "Não consigo acreditar que isso aconteceu."
- **Raiva:** "Como você ousa me tratar assim?"
- **Negociação:** "Olhe, apenas admita que você errou e tudo vai ficar bem."
- **Depressão:** "Eu estou triste, magoado e frustrado."
- **Aceitação:** "O que aconteceu foi ruim, mas é o que é, e quero seguir em frente."

O último estágio é a transição para o perdão ativo. Quando entrar nele, use os passos SARE para ajudar essa aceitação a se estabelecer dentro de você.

Em segundo lugar, é preciso dizer a verdade. Você não pode perdoar totalmente o que não foi totalmente esclarecido: os fatos, o impacto causado em você e nos outros e como você se sentiu. Conheça seus valores relevantes e pergunte a si mesmo: "O que acho que estava errado aqui e por quê?" Em sua mente, estabeleça em que acredita sem minimizar nem exagerar os fatos. Tenha compaixão em relação a como lidou com tudo isso. Em outras palavras, diga a verdade a si mesmo.

Além disso, se quiser, conte a alguém o que aconteceu, mesmo que apenas uma parte. Quando somos injustiçados, a sensação de ter outros a nosso favor, de ter aliados que são testemunhas, mesmo que não haja nada que possam fazer, é calmante, acolhedora e curativa. Ao sentir sua compreensão e seu carinho, abra-se para esses sentimentos e receba-os em você, aceitando-os como um bálsamo reconfortante.

Então, se lhe parecer seguro, tente conversar com a pessoa que você quer perdoar, e os métodos dos capítulos 9 e 10 serão úteis para isso. Depois de dizer o que aconteceu e como isso o afetou, a pessoa pode respirar fundo e pedir desculpas genuínas. Mas, se você for recebido com muita resistência, justificativas ou contra-acusações, pergunte-se: "O que quero dizer em meu benefício aqui?" Não se trata de convencer nem mudar o outro, porque isso está fora do seu controle; trata-se de registrar, sentir-se livre e sem medo e se defender – e tudo isso pode ajudá-lo a avançar para o perdão.

Em terceiro lugar, reconheça o custo de não perdoar. É doloroso admitir quanto paguei em minha vida pelo ressentimento e pela amargura e admitir como essas atitudes prejudicaram também outras pessoas. Sentir-se explorado e ofendido pode se tornar um tema demasiado familiar nos relacionamentos.

Desvencilhando-se

A partir dessas bases, quando se sentir pronto, você pode passar ao perdão desvencilhado. Eis algumas boas maneiras de fazer isso:

Escolha perdoar

Decida claramente que vai perdoar. Tente permanecer concentrado nos benefícios do perdão para si mesmo e para os outros. Tenha consciência das recompensas ocultas – que os terapeutas chamam de *ganhos secundários* – que podem manter a pessoa emaranhada em ressentimentos, como os prazeres da raiva justificada.

Considere o ponto de vista do outro

Sem diminuir o que lhe fizeram, tente ver os fatos pelos olhos do outro. O que o levou a tais ações? Talvez os valores e padrões dele sejam diferentes dos seus. Talvez o que para você foi uma grande violação para ele não tenha sido nada de mais. Você pode continuar a acreditar em seus valores pessoais e, ao mesmo tempo, reconhecer que os outros podem acreditar que agem de boa-fé.

Além disso, talvez estivessem com fome, cansados, doentes, nervosos ou estressados. Talvez tivessem recebido péssimas notícias. Talvez não soubessem que não deveriam agir assim. Considerar essas possibilidades não os exime do mau comportamento, mas lhe permite entendê-lo de forma mais completa para que você se sinta em paz com o que aconteceu.

Assuma a responsabilidade pela sua experiência

Os outros são responsáveis pelo que fazem, mas nós somos a fonte de nossas reações. Se a mesma injustiça ou o mesmo mau tratamento acontecessem com dez pessoas, haveria diferenças no modo como elas os vivenciariam. Isso não significa que as reações de alguém sejam inadequadas, mas apenas que são configuradas pela mente de cada um. Reconhecer isso não invalida sua experiência, mas a torna mais leve, o que o ajuda a se desvencilhar dela.

Saiba o que fazer

Dependendo do que aconteceu, você pode decidir escrever uma carta, não comparecer a uma reunião de família, consultar um advogado, deixar de confiar em alguém, procurar outro encanador ou, simplesmente, observar e esperar. Outras pessoas farão o que julgarem apropriado; enquanto isso, concentre-se em suas próprias ações. Saber qual é seu plano, saber que você tem um e que não está indefeso, acalma e traz foco, e isso abre mais espaço na mente para o perdão.

Deixe ir toda a má vontade

Com o perdão desvencilhado, você pode não gostar das pessoas que o prejudicaram e pode tomar providências para se proteger delas, mas deixa ir toda hostilidade ou desejo de vingança.
Para isso, tenha consciência de como é a sensação do ressentimento no seu corpo e depois use longas expirações para relaxar e liberá-las. Visualize a má vontade como uma pedra pesada que você está pondo no chão. Talvez queira pegar uma pedra de verdade; imagine que ela contém todos os

seus desejos de vingança e depois largue-a ou jogue-a bem longe. Você pode escrever uma carta que nunca mandará – talvez cheia de amargura, desprezo e fúria punitiva – e depois picá-la em pedacinhos, queimá-la e lançar as cinzas ao vento. Use o estabelecimento de ligações do SARE para trazer experiências que sejam "antídotos" para aliviar a má vontade e, aos poucos, substituí-la. Por exemplo, tenha consciência do ressentimento no fundo da sua mente enquanto a sensação de ter quem goste de você fica grande e poderosa em primeiro plano.

Enquanto repousa cada vez mais no perdão desvencilhado, saiba como se sente. Amplifique essa experiência permanecendo com ela, deixando-a preencher sua mente, sentindo-a no corpo, explorando o que parece novo ou fresco nela e reconhecendo como é relevante e importante para você. Assimile-a sentindo que o perdão se integra a você e concentre-se no que é agradável nisso. Respire e desvencilhe-se das amarras.

Oferecendo o perdão total

Anos atrás, quando nossos filhos eram pequenos, uma árvore do terreno do vizinho caiu no nosso quintal, derrubando a cerca entre as casas. Pedimos que ele cuidasse da árvore e ele concordou, mas semanas e meses se passaram, e nada. Eu conversava com ele; ele sorria e prometia resolver, mas nada acontecia. A situação estava ficando ridícula, e eu, enlouquecendo. Mas isso não ajudava nem a mim nem à minha família, e comecei a passar para o perdão desvencilhado. Pensei: "Foi só uma grande árvore, não nossa casa pegando fogo", e eu não precisava acrescentar minha própria raiva aos fatos simples da situação. Esse perdão foi facilitado por saber o que eu faria – entre outras coisas, escrever ao vizinho uma carta educada mas firme dizendo que nossa seguradora entraria em contato com ele. No dia seguinte ao recebimento da carta, uns cinco meses depois da queda, havia uma equipe no quintal para removê-la.

Como a situação ainda estava muito tensa entre nós, resolvi encontrar o caminho até o perdão total. Então pensei nele como pessoa, não como um "vizinho panaca" e bidimensional. Era um homem idoso que morava sozinho numa casa caindo aos pedaços, cercada de capim e mato seco, e ninguém jamais o visitava. Lembrei que ele gostava dos guaxinins que apareciam em seu quintal e que punha comida para eles. No Halloween, quando meus filhos iam à sua porta, ele os enchia de doces. Dava para ver que tinha bom coração e que, provavelmente, se preocupava com dinheiro e com o custo de remover a árvore, além de enfrentar a velhice e a solidão. Senti compaixão por ele, com alguma compreensão dos muitos fatores que mantiveram a árvore no nosso quintal. Recordei sua tentativa hesitante de pedir desculpas e fiz uma careta quando me lembrei de como a tinha rejeitado. Imaginei o pontinho minúsculo que seria aquela árvore vista do espaço. Senti o peso moral deste ensinamento do Buda:

> *Há quem não perceba que um dia todos morreremos, mas os que percebem resolvem suas rixas.*

Com esses passos, cheguei ao perdão total, e vivemos um ao lado do outro com cordialidade de vizinhos. Quando ele morreu, alguns anos depois, fiquei triste, mas contente por ter feito as pazes com ele. Quando me lembro do meu vizinho e da árvore, há nisso boas lições.

Veja a pessoa como um todo

Quando ficamos chocados, magoados ou zangados, é fácil reduzir as pessoas à única coisa terrível que fizeram. Mas em torno disso há muito mais: outras intenções que eram boas, toda uma complexa história de vida, além de sonhos e esperanças. Quando vemos o todo, não é tão difícil assim perdoar a parte. Todo mundo sofre, inclusive a pessoa que nos fez mal. Seja o que for, o que fizeram não é negado nem justificado por sua dor, sua perda ou seu estresse, mas a compaixão pelo fardo que levam facilita perdoar o fardo que lançaram sobre nós. Como escreveu Henry Wadsworth Longfellow: "Se pudéssemos ler a história secreta de nossos inimigos, acharíamos na vida de cada [pessoa] tristeza e sofrimento suficientes para desarmar qualquer hostilidade."

Às vezes, as pessoas nos pedem desculpas diretas e sinceras. Outras vezes, não admitem o erro, mas você consegue perceber uma mudança de ânimo em suas ações. Tente ver esse esforço – ainda que implícito ou imperfeito – de fazer contato, de consertar o que foi destruído e pedir perdão.

Adote uma visão ampla

Ponha o que aconteceu no contexto da sua vida inteira, inclusive de suas relações e atividades. Pense nos muitos minutos e anos – e nas muitas partes – da sua vida que não serão tocados nem prejudicados pelo que aconteceu. Adote uma visão ainda mais ampla e tente ver o que aconteceu como uma série de eventos agitados por muitos fatores, como um redemoinho num vasto rio de causas. A princípio, esse ponto de vista pode parecer abstrato, mas se tornará um reconhecimento da verdade daquilo que você está perdoando: muitas partes, muitas causas, mudando continuamente. Ver e sentir isso atrai para você naturalmente o desapego, para deixar ir, o que facilita o perdão total.

Perdoando a si mesmo

Muita gente acha bem mais fácil perdoar os outros do que a si mesmo. Compaixão, noção de perspectiva, ver a pessoa como um todo, deixar ir, recomeçar do zero: você consegue dar essas coisas a si mesmo com tanta generosidade quanto dá aos outros?

O primeiro passo para perdoar a si mesmo é *assumir a responsabilidade pelo que você fez*. Admita tudo – para si, claro, e talvez para outra pessoa. É difícil oferecer perdão total aos outros se eles ainda afirmam que não fizeram nada de errado. Do mesmo modo, é impossível perdoar-se sem assumir a máxima responsabilidade razoável pelo que aconteceu. Aceitar os fatos pelos quais você é responsável vai ajudá-lo a saber – e, se for preciso, afirmar aos outros – por quais *não* é responsável. Por exemplo, se o que você fez estava no nível 3 de uma escala de 0 a 10 de má conduta, assuma que foi mesmo um 3 e saiba que não foi um 10.

Ao assumir a responsabilidade, *sinta o remorso apropriado*. Você é quem decide o que é apropriado, na proporção daquilo pelo qual é responsável.

Se for responsável por um 3 na escala da má conduta, é adequado sentir 3 na escala de 0 a 10 do remorso – mas não 4, muito menos 10. Abrir-se ao remorso permite que ele flua através de você. Geralmente há uma espiral de remorso na qual sentimos e soltamos a camada superficial, depois passamos a outra mais profunda e, finalmente, à mais profunda de todas. Vivenciar totalmente o remorso cria um espaço no qual você pode se perdoar.

Enquanto isso, *conserte e faça reparações da melhor maneira possível*. Limpe a bagunça, se possível, faça um esforço a mais e aja com integridade de agora em diante. Os outros podem rejeitar seu esforço ou duvidar da sua sinceridade. Ao longo do tempo, enquanto você continua demonstrando boas intenções, eles podem passar ao perdão desvencilhado e até ao perdão total. Mas a questão não é provar que você está certo nem obter aprovação. Você faz o que é certo para seu próprio bem.

Também *veja as causas mais profundas das suas ações*. Mentalmente, no papel ou em conversas com alguém, reflita sobre seu comportamento, que, de certo modo, resultou de sua história de vida, de sua cultura, de sua saúde, de seu temperamento, dos modelos oferecidos por seus pais e outros, de pressões e estresses sofridos e do que estava acontecendo logo antes do que você fez. Considere a evolução do seu cérebro e como o lagarto, o camundongo e o macaco (metafóricos) que vivem dentro de você determinaram suas ações. Veja o que você fez como um redemoinho num rio de causas, subindo a correnteza rio acima durante gerações, as gerações dos seus pais, os pais e avós deles, recuando séculos, milênios e mais além. É humilhante mas também libertador ver as coisas dessa maneira. O que quer que você tenha feito resultou de muitas forças; portanto, por definição, não foi *tudo* culpa sua. E não importa o tamanho; na extensão do tempo e do espaço, essa é só uma parte minúscula do todo.

Se puder, *peça perdão*. Talvez você se sinta vulnerável e pouco à vontade em fazer isso, mas falar com o coração costuma abrir o coração dos outros. Se não for possível pedir diretamente ao indivíduo, peça aos outros envolvidos o perdão ou a compreensão que puderem lhe oferecer. Você pode imaginar amigos, parentes ou outros seres, vivos ou não, sentados ao seu lado, com você, dizendo que o perdoam. Se for importante para você, peça que Deus o perdoe.

Finalmente, *perdoe a si mesmo*. Você pode dizer as palavras na sua mente: "Eu perdoo você." Ou escrever para si mesmo uma carta de perdão. Em várias ocasiões, eu disse basicamente: "Rick, você estragou tudo. Magoou muito alguém. Mas assumiu a responsabilidade, sentiu todo o remorso e fez todo o possível para consertar a situação. Precisa garantir que não fará isso de novo nunca mais. E está perdoado. Eu o perdoo. Eu me perdoo." Encontre suas palavras e, ao dizê-las, sinta a libertação e o alívio preencherem você. Ofereça a si mesmo um recomeço. Ofereça a si mesmo a dádiva do perdão total.

AMPLIANDO O CÍRCULO DO NÓS

No dia a dia, rotineiramente separamos as pessoas em dois grupos: quem gosta de mim e quem não gosta de mim, quem pertence aos mesmos grupos que eu (talvez com base em gênero, etnia, religião ou crenças políticas) e quem não, "nós" e "eles". Estudos mostram que tendemos a ser generosos "conosco" e críticos, desdenhosos e hostis "com eles". Os conflitos "nós contra eles" acontecem em famílias, escolas, na política do escritório, na política pública e nas guerras frias e quentes. Somos seres tribais, moldados por milhões de anos de evolução a cooperar conosco e a sermos desconfiados e agressivos com eles.

Pense nos "eles" da sua vida, como os parentes de quem não gosta, as pessoas de outras etnias ou religiões ou aqueles no outro lado da divisória política. Ao trazê-los à mente, observe qualquer sensação de ameaça, tensão ou defesa. Apontar os outros como "eles" é estressante, obstrui oportunidades de amizade e trabalho em equipe ao mesmo tempo que alimenta conflitos. Para a humanidade como um todo, o "nós contra eles" funcionou na Idade da Pedra, mas com bilhões de pessoas vivendo hoje de forma interdependente, prejudicar a "eles" é prejudicar a "nós". Expandir seu círculo de "nós" é, além de generoso com os outros, bom para você.

Para expandir o círculo de nós, comece pensando em alguém que gosta de você e depois reserve algum tempo para se sentir apreciado, estimado ou valorizado. Em seguida, traga à mente alguém que esteja sofrendo e tenha compaixão por essa pessoa. Abra seu coração e sinta o amor fluindo para dentro e para fora.

Então pense num grupo ao qual pertença. Explore a sensação do *nós* propriamente dita: quais são as sensações no corpo e quais os pensamentos, emoções, atitudes e intenções relacionados. Tenha consciência de qualquer sentimento de camaradagem, amizade ou lealdade a nós.

Ao saber como é o "nós", comece a expandir seu círculo de nós para incluir mais e mais pessoas. Considere semelhanças entre você e os outros que considerava diferentes, talvez com pensamentos como: "Às vezes você também tem dor de cabeça... Você também gosta de comida boa... Como eu, você ama seus filhos... Como todo mundo, você e eu morreremos algum dia." Escolha uma semelhança e imagine todas as pessoas do mundo que a têm em pé ao seu lado, como "nós". Tente isso com outras semelhanças também.

Escolha um grupo de pessoas pelo qual se sinta ameaçado ou com o qual esteja zangado e pense nelas como crianças pequenas. Considere as forças que as moldaram como os adultos que são hoje. Reflita sobre como a vida delas, assim como a sua, foi difícil em vários aspectos. Tenha noção de como são seus fardos, preocupações, perdas e dores. Encontre compaixão por elas. Reconheça que todos estamos unidos como um grande "nós" pelo sofrimento que temos em comum.

Imagine um círculo de "nós" que contenha as pessoas mais próximas de você. Então expanda a sensação de "nós" para incluir cada vez mais gente – em sua família, no seu bairro, no seu círculo social, no seu ambiente de trabalho, na sua cidade, no seu estado, país, continente, no mundo. Pessoas que são como você e pessoas que não são. Pessoas que você teme ou combate. Os ricos e os pobres, os velhos e os jovens, os conhecidos e os desconhecidos. Amplie o círculo para incluir todo mundo. Expanda-o ainda mais para incluir toda a vida, as criaturas da terra, do mar, do ar, as plantas e micróbios, todos nós vivendo juntos num planeta verde-azulado. Todos *nós*.

...

Falando em círculos, demos a volta até chegar aonde começamos: compaixão por si e pelos outros. A verdadeira compaixão é ativa, não passiva; ela se inclina para o que sente dor e quer ajudar. Ao oferecer essa ajuda generosamente, você concede o que está dentro de si, com base em potencialidades como garra, gratidão e outras que examinamos juntos. Quanto mais cresce, mais oferece. Ao fazê-lo, o mundo lhe oferece de volta e o ajuda a se tornar ainda mais resiliente.

PONTOS-CHAVE

- Os seres humanos são naturalmente altruístas. A maior parte da generosidade não envolve dinheiro. Apreciar-se como doador o ajuda a continuar doando.
- Para dar compaixão sem sermos esmagados pelo sofrimento dos outros, precisamos de equanimidade, que pode ser cultivada quando vemos o sofrimento em seu contexto mais amplo, agimos da melhor maneira possível e reconhecemos o que já fizemos.
- Há duas maneiras de perdoar. Sem oferecer o perdão total, você ainda pode se desvencilhar do ressentimento, considerando o ponto de vista da outra pessoa, escolhendo deliberadamente perdoar e deixando ir toda a má vontade.
- Para conceder o perdão total, pense na pessoa que o prejudicou como um ser humano completo, com muitas facetas e, lá no fundo, um bom coração. Tenha também compaixão, reconheça o remorso e veja o que aconteceu como um rodamoinho num vasto rio de causas.
- Para se conceder o perdão total, assuma a responsabilidade pelo que fez, sinta o remorso adequado, repare os danos, peça perdão e perdoe-se ativamente.
- Muitas vezes por dia, dividimos as pessoas em dois grupos. Tendemos a cooperar "conosco", mas tememos e atacamos "eles". É generoso expandir o círculo de "nós" para incluir "eles", e isso é necessário para todos vivermos juntos em paz.
- Ao cultivar potencialidades interiores como compaixão e coragem, você desenvolve o bem-estar resiliente. Isso lhe oferece mais para oferecer aos outros, e então eles terão mais para oferecer a você, numa linda espiral ascendente.

OUTROS RECURSOS

Bem-estar, resiliência e os pontos específicos dos doze capítulos deste livro são temas amplos, e muitos indivíduos e entidades contribuíram com essas áreas. Eis uma lista parcial de artigos, livros, sites e entidades que podem lhe interessar.

BASE GERAL

American Psychological Association, "The Road to Resilience" (www.apa.org/helpcenter/road-resilience.aspx)

Block, Jeanne H., e Jack Block, "The role of ego-control and egoresiliency in the organization of behavior". Em *Development of Cognition, Affect, and Social Relations: The Minnesota Symposia on Child Psychology*, vol. 13, 1980, p. 39-101.

Burton, Nicola W., Ken I. Pakenham e Wendy J. Brown, "Feasibility and effectiveness of psychosocial resilience training: a pilot study of the READY program". *Psychology, Health & Medicine*, 15, nº 3, 2010, 266-277.

Cohn, Michael A., Barbara L. Fredrickson, Stephanie L. Brown, Joseph A. Mikels e Anne M. Conway, "Happiness unpacked: positive emotions increase life satisfaction by building resilience". *Emotion*, 9, nº 3, 2009, 361-368.

Fletcher, David e Mustafa Sarkar, "Psychological resilience: A review and critique of definitions, concepts, and theory". *European Psychologist*, 18, 2013, 12-23.

Loprinzi, Caitlin E., Kavita Prasad, Darrell R. Schroeder e Amit Sood, "Stress Management and Resilience Training (SMART) program to decrease stress and enhance resilience among breast cancer survivors: a pilot randomized clinical trial". *Clinical Breast Cancer*, 11, nº 6, 2011, 364-368.

Luthar, Suniya S., Dante Cicchetti e Bronwyn Becker, "The construct of resilience: A critical evaluation and guidelines for future work". *Child Development*, 71, nº 3, 2000, 543-562.

Masten, Ann S., "Ordinary magic: Resilience processes in development". *American Psychologist*, 56, nº 3, 2001, 227-238.

Miller, Christian B., R. Michael Furr, Angela Knobel e William Fleeson, org., *Character: New Directions from Philosophy, Psychology, and Theology*. Oxford University Press, 2015.

Prince-Embury, Sandra, "The resiliency scales for children and adolescents, psychological symptoms, and clinical status in adolescents", *Canadian Journal of School Psychology*, 23, nº 1, 2008, 41-56.

Richardson, Glenn E. "The metatheory of resilience and resiliency." *Journal of Clinical Psychology*, 58, no. 3 (2002): 307-321.

Ryff, Carol D., e Burton Singer. "Psychological well-being: Meaning, measurement, and implications for psychotherapy research". *Psychotherapy and Psychosomatics*, 65, nº 1, 1996, 14-23.

Seery, Mark D., E. Alison Holman, e Roxane Cohen Silver. "Whatever does not kill us: Cumulative lifetime adversity, vulnerability, and resilience". *Journal of Personality and Social Psychology*, 99, nº 6, 2010, 1025-1041.

Sood, Amit, Kavita Prasad, Darrell Schroeder e Prathibha Varkey, "Stress management and resilience training among Department of Medicine faculty: a pilot randomized clinical trial", *Journal of General Internal Medicine*, 26, nº 8, 2011, 858-861.

Southwick, Steven M., George A. Bonanno, Ann S. Masten, Catherine Panter-Brick e Rachel Yehuda, "Resilience definitions, theory, and challenges: interdisciplinary perspectives", *European Journal of Psychotraumatology*, 5, nº 1, 2014, 25-338.

Urry, Heather L., Jack B. Nitschke, Isa Dolski, Daren C. Jackson, Kim M. Dalton, Corrina J. Mueller, Melissa A. Rosenkranz, Carol D. Ryff, Burton H. Singer e Richard J. Davidson, "Making a life worth living: Neural correlates of well-being", *Psychological Science*, 15, nº 6, 2004, 367-372.

CENTROS E PROGRAMAS

Center for Compassion and Altruism Research and Education (ccare.stanford.edu)

Center for Mindfulness, UMass (https://www.umassmed.edu/cfm/)

Center for Mindful Self-Compassion (https://centerformsc.org/)

Collaborative for Academic, Social, and Emotional Learning (www.casel.org)

Greater Good Science Center, University of California at Berkeley (https://greatergood.berkeley.edu)

Openground (http://www.openground.com.au/)

The Penn Resilience Program and PERMA Workshops (https://ppc.sas.upenn.edu/services/penn-resilience-training)

Positive Psychology Center, University of Pennsylvania (https://ppc.sas.upenn.edu/)

Spirit Rock Meditation Center (https://www.spiritrock.org/)

The Wellbeing and Resilience Centre, South Australian Health and Medical Research Institute (www.wellbeingandresilience.com)

The Young Foundation (https://youngfoundation.org/)

COMPAIXÃO

Barnard, Laura K., e John F. Curry, "Self-compassion: Conceptualizations, correlates, & interventions", *Review of General Psychology*, 15, nº 4, 2011, 289-303.

Neff, Kristin D., Kristin L. Kirkpatrick e Stephanie S. Rude, "Selfcompassion and adaptive psychological functioning", *Journal of Research in Personality*, 41, nº 1, 2007, 139-154.

Neff, Kristin D., Stephanie S. Rude e Kristin L. Kirkpatrick, "An examination of self-compassion in relation to positive psychological functioning and personality traits", *Journal of Research in Personality*, 41, nº 4, 2007, 908-916.

ATENÇÃO PLENA

Analayo, *Satipatthana: The direct path to realization*. Windhorse Publications, 2004.

Baumeister, Roy F., e Mark R. Leary, "The need to belong: Desire for interpersonal attachments as a fundamental human motivation", *Psychological Bulletin*, 117, nº 3, 1995, 497-529.

Brown, Kirk Warren, e Richard M. Ryan. "The benefits of being present: mindfulness and its role in psychological well-being", *Journal of Personality and Social Psychology*, 84, nº 4, 2003, 822-848.

Davidson, Richard J., Jon Kabat-Zinn, Jessica Schumacher, Melissa Rosenkranz, Daniel Muller, Saki F. Santorelli, Ferris Urbanowski, Anne Harrington, Katherine Bonus e John F. Sheridan, "Alterations in brain and immune function produced by mindfulness meditation", *Psychosomatic Medicine*, 65, nº 4, 2003, 564-570.

Hölzel, Britta K., Sara W. Lazar, Tim Gard, Zev Schuman-Olivier, David R. Vago e Ulrich Ott, "How does mindfulness meditation work? Proposing mechanisms of action from a conceptual and neural perspective", *Perspectives on Psychological Science*, 6, n.º 6, 2011, 537-559.

Porges, Stephen W., "Orienting in a defensive world: Mammalian modifications of our evolutionary heritage. A polyvagal theory", *Psychophysiology*, 32, n.º 4, 1995, 301-318.

Shapiro, Shauna L., Linda E. Carlson, John A. Astin e Benedict Freedman, "Mechanisms of mindfulness", *Journal of Clinical Psychology*, 62, n.º 3, 2006, 373-386.

Tang, Yi-Yuan, Yinghua Ma, Junhong Wang, Yaxin Fan, Shigang Feng, Qilin Lu, Qingbao Yu *et al.*, "Short-term meditation training improves attention and self-regulation", *Proceedings of the National Academy of Sciences*, 104, n.º 43, 2007, 17.152-17.156.

APRENDIZADO

Baumeister, Roy F., Ellen Bratslavsky, Catrin Finkenauer e Kathleen D. Vohs, "Bad is stronger than good", *Review of General Psychology*, 5, n.º 4, 2001, 323-370.

Crick, Francis e Christof Koch, "A framework for consciousness", *Nature Neuroscience*, 6, n.º 2, 2003, 119-126.

Kandel, Eric R., *In Search of Memory: The Emergence of a New Science of Mind*. W. W. Norton & Company, 2007.

Lyubomirsky, Sonja, Kennon M. Sheldon e David Schkade, "Pursuing happiness: The architecture of sustainable change", *Review of General Psychology*, 9, n.º 2, 2005, 111-131.

Nader, Karim, "Memory traces unbound", *Trends in Neurosciences*, 26, n.º 2, 2003, 65-72.

Rozin, Paul e Edward B. Royzman. "Negativity bias, negativity dominance, and contagion", *Personality and Social Psychology Review*, 5, n.º 4, 2001, 296-320.

Wilson, Margaret, "Six views of embodied cognition", *Psychonomic Bulletin & Review*, 9, nº 4, 2002, 625-636.

GARRA

Duckworth, Angela, *Garra: O poder da paixão e da perseveraça*. Rio de Janeiro: Intrínseca, 2016.

Duckworth, Angela, e James J. Gross. "Self-control and grit: Related but separable determinants of success", *Current Directions in Psychological Science*, 23, nº 5, 2014, 319-325.

Duckworth, Angela L., Christopher Peterson, Michael D. Matthews e Dennis R. Kelly, "Grit: perseverance and passion for long-term goals", *Journal of Personality and Social Psychology*, 92, nº 6, 2007, 1087-1101.

Ratey, John J., e Eric Hagerman, *Spark: The Revolutionary New Science of Exercise and the Brain*. Little, Brown and Company, 2008.

Singh, Kamlesh e Shalini Duggal Jha. "Positive and negative affect, and grit as predictors of happiness and life satisfaction", *Journal of the Indian Academy of Applied Psychology*, 34, nº 2, 2008, 40-45.

GRATIDÃO

Emmons, Robert A., *Thanks! How the New Science of Gratitude Can Make You Happier*. Houghton Mifflin, 2007.

Fredrickson, Barbara L., "Gratitude, like other positive emotions, broadens and builds", *The Psychology of Gratitude*, 2004, 145-166.

Fredrickson, Barbara L., "The broaden-and-build theory of positive emotions", *Philosophical Transactions of the Royal Society B: Biological Sciences* 359, nº 1449, 2004, 1367-1378.

Lyubomirsky, Sonja, Laura King e Ed Diener, "The benefits of frequent positive affect: does happiness lead to success?", *Psychological Bulletin*, 131, nº 6, 2005, 803-855.

Rubin, Gretchen, *Projeto felicidade*. Rio de Janeiro: Bestseller, 2009.

Shiota, Michelle N., Belinda Campos, Christopher Oveis, Matthew J. Hertenstein, Emiliana Simon-Thomas e Dacher Keltner, "Beyond happiness: Building a science of discrete positive emotions", *American Psychologist*, 72, nº 7, 2017, 617-643.

CONFIANÇA

Baumeister, Roy F., Jennifer D. Campbell, Joachim I. Krueger e Kathleen D. Vohs, "Does high self-esteem cause better performance, interpersonal success, happiness, or healthier lifestyles?", *Psychological Science in the Public Interest*, 4, nº 1, 2003, 1-44.

Brown, Brené, "Shame resilience theory: A grounded theory study on women and shame", *Families in Society: The Journal of Contemporary Social Services*, 87, nº 1, 2006, 43-52.

Brown, Jonathon D., Keith A. Dutton e Kathleen E. Cook, "From the top down: Self-esteem and self-evaluation", *Cognition and Emotion*, 15, nº 5, 2001, 615-631.

Gilbert, Paul, *The Compassionate Mind: A New Approach to Life's Challenges*. New Harbinger Publications, 2010.

Longe, Olivia, Frances A. Maratos, Paul Gilbert, Gaynor Evans, Faye Volker, Helen Rockliff e Gina Rippon. "Having a word with yourself: Neural correlates of self-criticism and self-reassurance", *NeuroImage*, 49, nº 2, 2010, 1849-1856.

Robins, Richard W. e Kali H. Trzesniewski. "Self-esteem development across the lifespan", *Current Directions in Psychological Science*, 14, nº 3, 2005, 158-162.

CALMA

Astin, Alexander W. e James P. Keen, "Equanimity and spirituality", *Religion & Education*, 33, nº 2, 2006, 39-46.

Benson, Herbert e Miriam Z. Klipper, *The Relaxation Response*, HarperCollins, 1992.

Desbordes, Gaëlle, Tim Gard, Elizabeth A. Hoge, Britta K. Hölzel, Catherine Kerr, Sara W. Lazar, Andrew Olendzki e David R. Vago, "Moving beyond mindfulness: defining equanimity as an outcome measure in meditation and contemplative research", *Mindfulness*, 6, nº 2, 2015, 356-372.

Hölzel, Britta K., James Carmody, Karleyton C. Evans, Elizabeth A. Hoge, Jeffery A. Dusek, Lucas Morgan, Roger K. Pitman e Sara W. Lazar, "Stress reduction correlates with structural changes in the amygdala", *Social Cognitive and Affective Neuroscience*, 5, nº 1, 2009, 11-17.

Lupien, Sonia J., Francoise Maheu, Mai Tu, Alexandra Fiocco e Tania E. Schramek. "The effects of stress and stress hormones on human cognition: Implications for the field of brain and cognition", *Brain and Cognition*, 65, nº 3, 2007, 209-237.

MOTIVAÇÃO

Arana, F. Sergio, John A. Parkinson, Elanor Hinton, Anthony J. Holland, Adrian M. Owen e Angela C. Roberts, "Dissociable contributions of the human amygdala and orbitofrontal cortex to incentive motivation and goal selection", *Journal of Neuroscience*, 23, nº 29, 2003, 9632-9638.

Berridge, Kent C., "'Liking' and 'wanting' food rewards: Brain substrates and roles in eating disorders", *Physiology & Behavior*, 97, nº 5, 2009, 537-550.

Berridge, Kent C. e J. Wayne Aldridge, "Special review: Decision utility, the brain, and pursuit of hedonic goals", *Social Cognition*, 26, nº 5, 2008, 621-646.

Berridge, Kent C., Terry E. Robinson e J. Wayne Aldridge, "Dissecting components of reward: 'liking', 'wanting', and learning", *Current Opinion in Pharmacology*, 9, nº 1, 2009, 65-73.

Cunningham, William A. e Tobias Brosch, "Motivational salience: Amygdala tuning from traits, needs, values, and goals", *Current Directions in Psychological Science*, 21, nº 1, 2012, 54-59.

Duhigg, Charles, *O poder do hábito: Porque fazemos o que fazemos na vida e nos negócios*. Rio de Janeiro: Objetiva, 2012.

Nix, Glen A., Richard M. Ryan, John B. Manly e Edward L. Deci, "Revitalization through self-regulation: The effects of autonomous and controlled motivation on happiness and vitality", *Journal of Experimental Social Psychology*, 35, nº 3, 1999, 266-284.

Tindell, Amy J., Kyle S. Smith, Kent C. Berridge e J. Wayne Aldridge, "Dynamic computation of incentive salience: 'Wanting' what was never 'liked'", *Journal of Neuroscience*, 29, nº 39, 2009, 12.220-12.228.

INTIMIDADE

Bowlby, John, *A Secure Base: Clinical Applications of Attachment Theory*, vol. 393. Taylor & Francis, 2005.

Bretherton, Inge, "The origins of attachment theory: John Bowlby and Mary Ainsworth", *Developmental Psychology*, 28, nº 5, 1992, 759-775.

Eisenberger, Naomi I., Matthew D. Lieberman e Kipling D. Williams, "Does rejection hurt? An fMRI study of social exclusion", *Science*, 302, nº 5.643, 2003, 290-292.

Feeney, Judith A. e Patricia Noller, "Attachment style as a predictor of adult romantic relationships", *Journal of Personality and Social Psychology*, 58, nº 2, 1990, 281-291.

House, James S., "Social isolation kills, but how and why?". *Psychosomatic Medicine*, 63, nº 2, 2001, 273-274.

Panksepp, Jaak, "Oxytocin effects on emotional processes: separation distress, social bonding, and relationships to psychiatric disorders", *Annals of the New York Academy of Sciences*, 652, nº 1, 1992, 243-252.

Schaffer, H. Rudolph e Peggy E. Emerson, "The development of social attachments in infancy", *Monographs of the Society for Research in Child Development*, 1964, 1-77.

CORAGEM

Altucher, James e Claudia Azula Altucher, *The Power of No: Because One Little Word Can Bring Health, Abundance, and Happiness*. Hay House, 2014.

Goud, Nelson H., "Courage: Its nature and development", *The Journal of Humanistic Counseling*, 44, nº 1, 2005, 102-116.

Ng, Sik Hung e James J. Bradac, *Power in Language: Verbal Communication and Social Influence*. Sage Publications, Inc., 1993.

Pury, Cynthia L. S., Robin M. Kowalski e Jana Spearman, "Distinctions between general and personal courage", *The Journal of Positive Psychology*, 2, nº 2, 2007, 99-114.

Rosenberg, Marshall B., *Comunicação não violenta*. São Paulo: Ágora, 2006.

ASPIRAÇÃO

Brown, Brené, *A coragem de ser imperfeito*. Rio de Janeiro: Sextante, 2012.

Deci, Edward L. e Richard M. Ryan, "Self-determination theory: A macrotheory of human motivation, development, and health", *Canadian Psychology/Psychologie Canadienne*, 49, nº 3, 2008, 182-185.

King, Laura A., "The health benefits of writing about life goals", *Personality and Social Psychology Bulletin*, 27, nº 7, 2001, 798-807.

Mahone, Charles H., "Fear of failure and unrealistic vocational aspiration", *The Journal of Abnormal and Social Psychology*, 60, nº 2, 1960, 253-261.

Yousafzai, Malala, *Eu sou Malala, A história da garota que defendeu o direito à educação e foi baleada pelo talibã*. São Paulo: Cia da Letras, 2013.

GENEROSIDADE

Dass, Ram e Paul Gorman, *How Can I Help? Stories and Reflections on Service*, Knopf, 2011.

Doty, James R., *A maior de todas as mágicas*. Rio de Janeiro: Sextante, 2016.

Eisenberg, Nancy e Paul A. Miller, "The relation of empathy to prosocial and related behaviors", *Psychological Bulletin*, 101, nº 1, 1987, 91-119.

Fredrickson, Barbara L., Michael A. Cohn, Kimberly A. Coffey, Jolynn Pek e Sandra M. Finkel, "Open hearts build lives: positive emotions, induced through loving-kindness meditation, build consequential personal resources", *Journal of Personality and Social Psychology*, 95, nº 5, 2008, 1045-1062.

Haley, Kevin J. e Daniel M. T. Fessler, "Nobody's watching? Subtle cues affect generosity in an anonymous economic game", *Evolution and Human Behavior*, 26, nº 3, 2005, 245-256.

Zak, Paul J., Angela A. Stanton e Sheila Ahmadi, "Oxytocin increases generosity in humans", *PLOS One*, 2, nº 11, 2007, 1128.

AGRADECIMENTOS

Este livro se baseia numa ampla literatura especializada sobre bem-estar, resiliência, neuroplasticidade e tópicos relacionados. Embora haja fontes demais para citar todas individualmente, gostaríamos de oferecer nossa gratidão respeitosa a Richard Davidson, Jim Doty, Angela Duckworth, Carol Dweck, Daniel Ellenberg, Barbara Fredrickson, Christopher Germer, Paul Gilbert, Timothea Goddard, Elisha Goldstein, Linda Graham, Jon Kabat-Zinn, Todd Kashdan, Dachar Keltner, Suniya Luthar, Sonya Lyubomirsky, Ann Masten, Kristin Neff, Stephen Porges, Sandra Prince-Embury, Martin Seligman, Michelle Shiota, Dan Siegel e Emiliana Simon-Thomas.

Também aproveitamos a sabedoria e o apoio de professores importantíssimos, como Tara Brach, Gil Fronsdal, Jack Kornfield, Ajahn Passano e Sharon Salzberg.

Somos agradecidos aos colegas que ajudaram a criar na internet o programa *Foundations of Well-Being*, entre eles Jenna Chandler, Karey Gauthier, Laurel Hanson, Michelle Keane, Marion Reynolds, Andrew Schuman, Carisa Speth, Matt States e, principalmente, Stephanie e David Veillon. Somos gratos aos leitores que nos deram um retorno útil sobre os esboços deste livro e textos relacionados, entre eles Penny Fenner, Elizabeth Ferreira, Emma Hutton-Thamm, Lily O'Brien, Michael Taft e nossa agente Amy Rennert, extremamente gentil e competente. Tem sido uma dádiva e um prazer imenso trabalhar com Donna Loffredo, nossa editora na Harmony Books; ela e sua equipe foram providenciais para dar vida a este livro. Agradecimentos especiais a Jan e Laurel Hanson.

Para saber mais sobre os títulos e autores
da Editora Sextante, visite o nosso site.
Além de informações sobre os próximos lançamentos,
você terá acesso a conteúdos exclusivos
e poderá participar de promoções e sorteios.

sextante.com.br